1

Ke rth

An imprint of HarperCollinsPublishers

Published by HarperCollins *Publishers*
77-85 Fulham Palace Road
London W6 8JB

www.**Collins**Education.com
On-line support for schools and colleges.

First published 1998
Reprinted 1998, 1999, 2000, 2001, 2002 (twice), 2003
10

ISBN 0 00 320240 2

Ken Hall and Steve Haworth assert the moral right to be identified as the authors of this work.

British Library Cataloguing in Publication Data
A catalogue record for this book is available from the British Library.

Series edited by Michael Buckby
Edited by Victoria Millar
Design by Bob Vickers
Cover design by Christie Archer
Picture research by Lucy Courtenay
Production by Sue Cashin

Printed and bound in Hong Kong

Illustrations

Kathy Baxendale all icons; pp. 52 (bottom), 118–119, 122 (bottom).
Peter Brown (Maggie Mundy Illustrators Agency) pp. 10, 17, 18 (bottom), 20, 22, 30, 35, 38 (left), 61, 73, 82, 94, 104, 109–110, 115, 136 (bottom), 147, 149, 150, 155.
Tim Davies (Sylvie Poggio Artists Agency) pp. 9 (bottom), 28, 32, 40, 50–51 (bottom), 76, 90, 100 (top), 129 (top).
Virginia Gray (Graham-Cameron Illustration) pp. 12 (top) 13 (bottom), 34 (top), 52 (top), 71, 77, 87, 105 (top), 117, 121 (top), 128, 129 (bottom).
Paul McCaffrey (Sylvie Poggio Artists Agency) pp. 41, 50 (top), 53, 59, 67, 83, 100 (bottom), 121 (bottom), 132 (top).
Samantha Rugen (Sylvie Poggio Artists Agency) pp. 19, 34 (bottom), 46, 60, 66, 70, 93, 123, 136 (top).
Francis Scappaticci (Maggie Mundy Illustrators Agency) pp. 6, 12 (bottom), 21, 55–56.
Kate Sheppard pp. 9 (top), 13 (centre), 47.
Phil Smith (Sylvie Poggio Artists Agency) pp. 7, 13 (top), 18 (top), 38 (right), 75, 105 (bottom), 108, 122 (top), 126, 132 (bottom).

Photographs

The Associated Press p. 137.
Michael Buckby p. 4 (bottom right), 137 (top left), 146.
BBC Photograph Library p. 54 (bottom).
John Birdsall Photography p. 32 (left and right).
James Davis Travel Photography p. 32 (centre).
The Military Picture Library p. 74 (top).
Rex Features Limited p. 65.

All other photographs taken on location by Tim Booth.

Acknowledgements

The Authors and Publishers would like to thank the many people in Nerja who helped with material and photographs for *Pronto 1*. We are particularly grateful to the following:

Miguel Moreno, Concejal de Turismo; Antonio Rivas, Patronato de la Cueva de Nerja; Carlos Fernández; Pedro Salinas; the staff of the Oficina de Turismo and Hotel Plaza Cavana, Nerja.

We would also like to thank the following for their assistance during the writing and production of *Pronto 1*:

Puri Black, Black and Longo, for checking the manuscript.
Rosa Hall for checking the manuscript.
The authors would also like to thank their wives for their encouragement and patience throughout the writing of this book.

Map on p. 4 reproduced with permission of Michelin;
© Michelin, from Map 990, 18th Edition 1997.
Authorization no. 9710482.

Every effort has been made to contact the holders of copyright material, but if any have been inadvertently overlooked, the Publishers will be pleased to make the necessary arrangements at the first opportunity.

Indice de Materias

Un poco de gramática

Introduction

Pronto aims to prepare you in the best possible way for your examination in Spanish and, if you work through it sensibly and conscientiously, it will help you achieve a good grade. The early units of **Pronto** are set in the holiday village of El Capistrano near Nerja in Southern Spain, and follow the experiences of the young reps as they prepare for their work there. You will go through the units with your teacher, sometimes working on the activities with a partner, and sometimes on your own. Pay careful attention to advice you are offered, note down and learn new language as you meet it, and devise a system for keeping your work organised in your book or file. It is essential that you have the use of a good dictionary. The Collins Pocket Spanish Dictionary and the Collins Easy Learning Spanish Dictionary have many features which make them particularly suited to your needs. You might also want to ask your teacher to recommend a dictionary to you.

Remember that this book on its own will not guarantee you success. However, if you are prepared to put in the effort, it can go a long way towards helping you achieve it. ¡Suerte! – Good luck!

El Capistrano, en Nerja, es un sitio ideal para las vacaciones.

Pistas de tenis

Restaurantes

Piscinas

El pueblo de Nerja está situado en la región de Andalucía, en la Costa del Sol, a 50 kilómetros de Málaga.

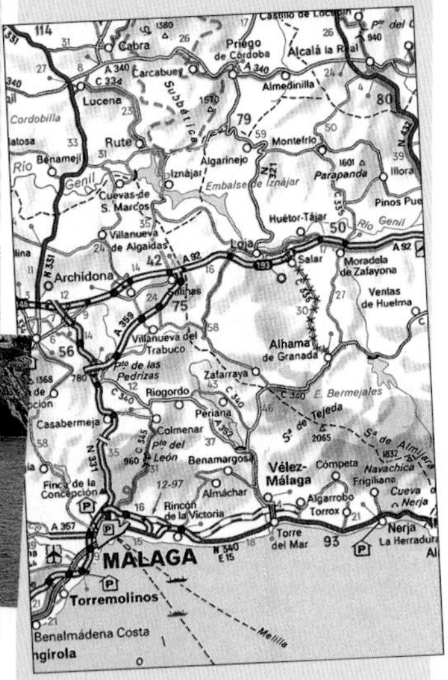

Nerja es un pueblo antiguo con muchos sitios de interés.

El viaducto

El Capistrano

La playa

También hay en la región:

Montañas

Las cuevas

La costa de Maro

El pueblo pintoresco de Frigiliana

Unidad 1

La gente se presenta

En esta unidad vas a aprender a:	In this unit you are going to learn to:
• pedir y dar datos personales	• ask for and give personal details
• decir de dónde eres	• say where you are from
• describir a personas	• describe people

Los monitores de El Capistrano tienen que asistir a un curso de preparación.
The El Capistrano reps have to attend a training course.

Objetivo 1: **pedir y dar datos personales**

asking for and giving personal details

1 **a** Escucha la conversación.
¿Qué hacen las personas que hablan?
Listen to the conversation.
What are the people who are speaking doing?

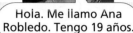

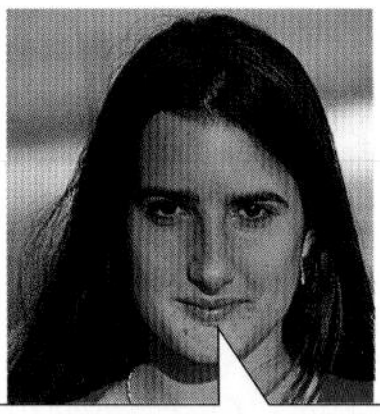

Hola. Me llamo Ana Robledo. Tengo 19 años.

Hola. Me llamo Ricardo Sánchez. Tengo 17 años.

– Hola.
= Hola. ¿Cómo te llamas?
– Me llamo **Ana**. ¿Y tú?
= Mi nombre es **Ricardo**. ¿Cuántos años tienes, Ana?
– Tengo **19** años. ¿Y tú?
= Pues, yo tengo **17** años.
– Bueno, encantada de conocerte, Ricardo.
= Igualmente, Ana.

Un poco de cultura

When you are talking to one person in Spanish there are two ways of saying 'you'. The informal 'Tú' form is used when talking to young people or people whom you know well, whilst the 'Usted' form is used when talking to older people, or in formal situations such as in a bank, for example.

Algunos nombres de **chica**:

Charo	María
Yolanda	Isabel
Marta	Teresa
Rosa	Neri
Conchita	Begoña
Susana	

Algunos nombres de **chico**:

Enrique	Pablo
Alejandro	Sergio
Manolo	Paco
Roberto	Felipe
Eduardo	Javier
Pedro	Carlos

Unos números

0	cero	7	siete	14	catorce
1	uno	8	ocho	15	quince
2	dos	9	nueve	16	dieciséis
3	tres	10	diez	17	diecisiete
4	cuatro	11	once	18	dieciocho
5	cinco	12	doce	19	diecinueve
6	seis	13	trece	20	veinte

b Escucha otra vez. Ahora repite la conversación.
Listen again. This time repeat the conversation.

2 Escucha las conversaciones. Escribe el nombre y la edad de cada persona.
Listen to the conversations. Write down the name and age of each person.

3 En compañía.
Ahora practica una de las conversaciones con tu pareja.
Now practise one of the conversations with your partner.

4 **a** En compañía.
Trabaja con tu pareja. Elige un nombre y una edad de las listas. Practica la nueva conversación.
Work with your partner. Choose a name and an age from the lists. Practise the new conversation.

b Ahora cambia de turno.
Now change roles.

c Practica la conversación con vuestros propios datos personales.
Practise the conversation with your own personal details.

5 El alfabeto. The alphabet.
Aquí está el abecedario español. Escucha la cinta y repite cada letra.
Here is the Spanish alphabet. Listen to the cassette and repeat each letter.

a	a (as in bat)	**g**	hay	**m**	emmay	**r**	erray	**x**	aykis
b	bay	**h**	atchay	**n**	ennay	**s**	essay	**y**	ee griega
c	thay	**i**	ee	**ñ**	enyay	**t**	tay	**z**	thayta
d	day	**j**	hotta	**o**	o (as in pot)	**u**	oo		
e	ey	**k**	ka	**p**	pay	**v**	oovay		
f	effay	**l**	ellay	**q**	coo	**w**	oovay doblay		

6 Escucha las conversaciones y anota el orden en que los monitores reciben sus pins.
Listen to the conversations and note the order in which the reps receive their badges.
Por ejemplo: **1–*C*.**

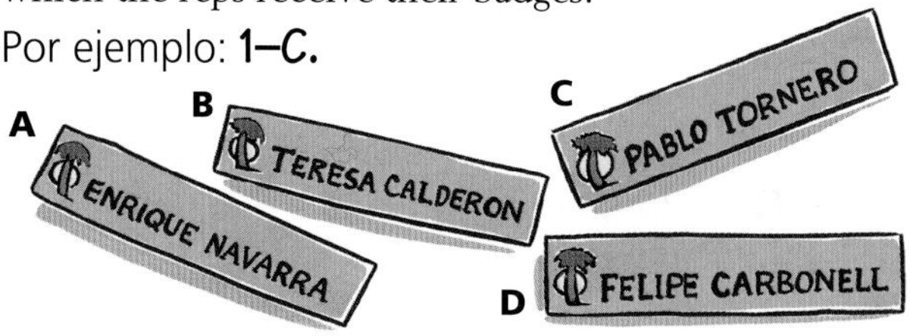

Un poco de cultura

Spanish people have two surnames (apellidos). They take both the father's and mother's first surname in that order. So, Ana's full name is actually Ana Robledo González although she would normally refer to herself as just Ana Robledo.

7 **a** En compañía.
Trabaja con una pareja. Lee otra vez los nombres y apellidos en los pins. ¿Cómo se escriben en español?
Work with a partner. Read again the first names and surnames on the badges. How are they spelt in Spanish?

Persona A: Elige una de estas identidades, y contesta la pregunta de tu pareja.
Choose one of these identities and answer your partner's question.
Persona B: Haz una de estas preguntas a tu pareja.
Ask your partner one of these questions.

¿Cómo se escribe tu nombre? o **¿Cómo se escribe tu apellido?**

b Ahora cambia de turno.
Now change roles.

Más números

21	veintiuno	29	veintinueve	61	sesenta y uno
22	veintidós	30	treinta	70	setenta
23	veintitrés	31	treinta y uno	71	setenta y uno
24	veinticuatro	40	cuarenta	80	ochenta
25	veinticinco	41	cuarenta y uno	81	ochenta y uno
26	veintiséis	50	cincuenta	90	noventa
27	veintisiete	51	cincuenta y uno	91	noventa y uno
28	veintiocho	60	sesenta		

8 Copia cuatro números de esta lista. Escucha y tacha un número si lo oyes. ¿Quién canta bingo primero?
Copy four numbers from this list. Listen and cross out a number if you hear it. Who calls bingo first?

9 ¿Cuál es tu número de teléfono? Escucha las conversaciones y empareja cada monitor con su número de teléfono.
What's your telephone number? Listen to the conversations and match each rep with their telephone number.
Por ejemplo: **1–C.**

Nombre		**Teléfono**	
1	Eduardo	**A**	234-67-89
2	Teresa	**B**	226-48-03
3	Sergio	**C**	291-50-15
4	Isabel	**D**	272-00-19
5	Alejandro	**E**	266-13-30

Un poco de cultura

When giving telephone numbers, Spanish people usually give the first digit and then the remaining numbers in pairs, e.g. C would be two, ninety one, fifty, fifteen.

10 Lee esta lista de teléfonos. ¿Cuántos números sabes decir en español en un minuto?
Read this list of telephone numbers. How many numbers can you say in Spanish in one minute?

359-65-16	**340-77-02**	**525-25-42**
347-18-53	**561-96-80**	**550-83-11**

11 Los monitores tienen que cuidar a los jóvenes en la piscina. Escucha y lee la conversación y túrnate con tu pareja para practicarla.
The reps have to look after the youngsters at the swimming pool. Listen to and read the conversation, and take turns with your partner to practise it.

– Hola. ¿Cómo te llamas?
= Hola. Me llamo Paco.
– ¿Cuántos años tienes, Paco?
= Tengo 8 años.
– ¿Y cuándo es tu cumpleaños?
= Pues, es el 10 de **abril**.
– ¡Qué bien! ¿Tienes hermanos?
= Sí. Tengo un **hermano** y una **hermana**.
= ¿Estás aquí con tu familia?
– Bueno, estoy aquí con mi **madre** y mi **tía**.

Los meses

enero	julio
febrero	agosto
marzo	se(p)tiembre
abril	octubre
mayo	noviembre
junio	diciembre

La familia

el abuelo	grandfather	el tío	uncle
la abuela	grandmother	la tía	aunt
tu hermano	your brother	Soy hijo/a único/a.	I'm an only child.
tu hermana	your sister		
mi madre	my mother		
mi padre	my father		

12 **a** En compañía.

Persona A: Mira la foto de la familia. Imagina que tú eres la persona indicada. Contesta las preguntas de tu pareja.
Look at the photograph of the family. Imagine that you are the person shown. Answer your partner's questions.

Persona B: Imagina que tu eres el monitor. Entrevista a tu pareja.
Imagine that you are the rep. Interview your partner.

¿Cuándo es tu cumpleaños? ¿Tienes hermanos? ¿Cómo te llamas? ¿Estás aquí con tu familia? ¿Cuántos años tienes?

b Ahora cambia de turno.
Now change roles.

c ¡Te toca a tí! Ahora practica la conversación, esta vez con detalles de tu propia familia.
It's your turn. Now practise the conversation, this time with details of your own family.

13 Escucha la conversación.¿Dónde está el perro de Paco?
Listen to the conversation. Where is Paco's dog?

– Bueno, ¿tienes un animal, Paco?
= Sí, tengo **un perro**.
– ¿Ah, sí? ¿Cómo se llama?
= Se llama Bobi.
– ¿Está aquí en Nerja también?
= No. Está en Valencia con mi abuelo.
– Muy bien.
= ¿Y tú?
– No tengo un animal, pero tengo un hermano.

¿? p138 indefinite articles ¿?

¿Tienes un animal?
Do you have a pet?

un caballo	horse
un conejo	rabbit
un conejo de indias	guinea pig
un gato	cat
un hámster	hamster
un pájaro	bird
un periquito	budgie
un perro	dog
un pez	fish
un ratón	mouse

14 Escucha las conversaciones. ¿Cuál de estos animales no mencionan?
Listen to the conversations. Which of these animals don't they mention?

15 Pregunta a tus compañeros de clase si tienen un animal, y haz una lista de las respuestas. ¿Cuál es el animal más popular?
Ask your classmates if they have a pet and make a list of the answers. Which is the most popular pet?

¿? p138 plurals ¿?

16 Mira el dibujo y contesta las preguntas.
Look at the picture and answer the questions.
Por ejemplo: **¿Tienes un gato?**
Sí, tengo tres gatos.

¿Tienes un perro?
¿Tienes un ratón?
¿Tienes un periquito?
¿Tienes un caballo?

Objetivo 2: **decir de dónde eres**

saying where you are from

1 **a** Escucha a estas personas que contestan la pregunta, "¿De dónde eres?".
Listen to these people who answer the question, "Where are you from?".

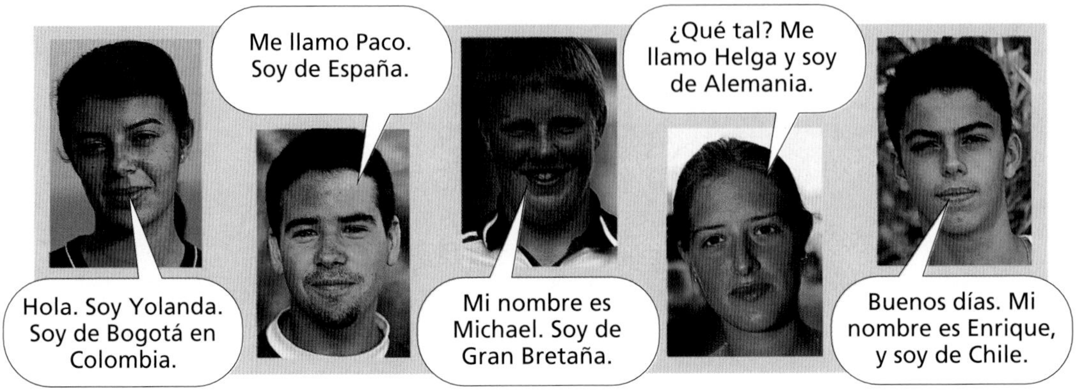

Hola. Soy Yolanda. Soy de Bogotá en Colombia.
Me llamo Paco. Soy de España.
Mi nombre es Michael. Soy de Gran Bretaña.
¿Qué tal? Me llamo Helga y soy de Alemania.
Buenos días. Mi nombre es Enrique, y soy de Chile.

b Ahora, dos personas dicen la verdad y tres no. ¿Quiénes no dicen la verdad?
Now, two people tell the truth and three don't. Who doesn't tell the truth?
Por ejemplo: *Paco.*

2 Mira las banderas. Empareja el nombre del país con la bandera correcta.
Look at the flags. Match up the name of the country with the correct flag.
Por ejemplo: **1-D**

A España **B** Holanda **C** Gran Bretaña **D** Italia **E** Francia **F** Bélgica

3 En menos de tres minutos, copia estos países bajo estas categorías.
In less than three minutes, copy these countries under these categories.

Por ejemplo:

Europa	Sudamérica
Portugal	

Colombia Ecuador Perú Bolivia Venezuela Argentina Alemania Grecia Escocia Inglaterra Suiza Chile Irlanda Portugal Irlanda del Norte Gales

4 Escucha a estos jóvenes. ¿Quién es de Sudamérica?
Listen to these young people. Who is from South America?

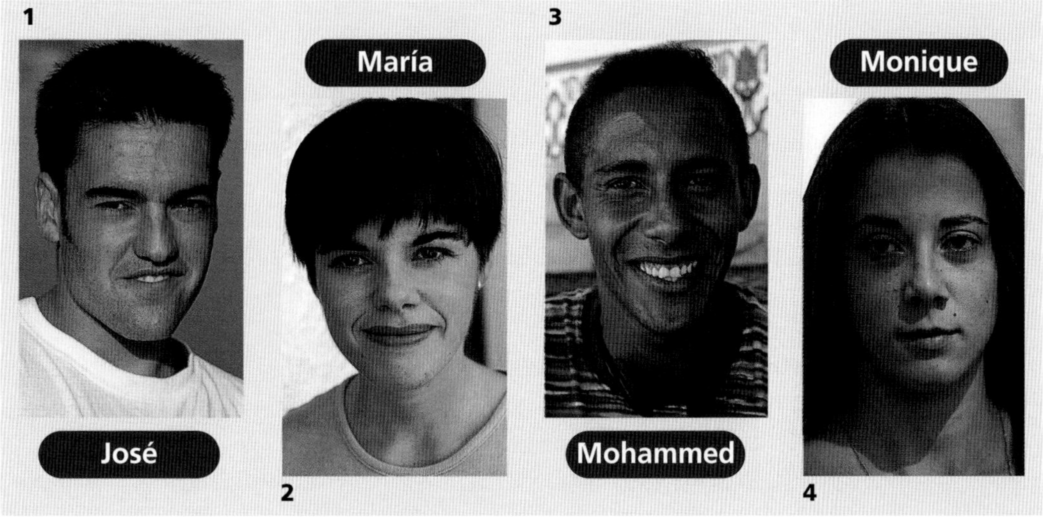

5 Con la ayuda de esta tabla, haz unas conversaciones y practícalas con tu pareja.
With the help of this table, make up some conversations and practise them with your partner.

Por ejemplo: A – ¿De dónde eres?
B – Soy de Inglaterra. Soy inglés/inglesa.

País	Nacionalidad	
España	español	española
Escocia	escocés	escocesa
Inglaterra	inglés	inglesa
Francia	francés	francesa
Alemania	alemán	alemana
Irlanda del Norte	norirlandés	norirlandesa
Gales	galés	galesa

6 Escucha la conversación y lee esta ficha. Hay algunos errores. ¿Cuáles son?
Listen to the conversation and read this form. There are some mistakes. What are they?

Nombre: Pilar
Apellidos: Cerquera Montoro
Dirección: San Vicente 23–5A, Alicante, España
Fecha de nacimiento: 16 de enero de 1.978
Nacionalidad: española
Familia: hermano (18 años)

Objetivo 3: **describir a personas**

describing people

Si uno de los jóvenes se pierde en El Capistrano, los monitores necesitan una descripción de esa persona.
If one of the youngsters gets lost in El Capistrano, the reps need a description of that person.

1 Escucha las conversaciones. Identifica la persona que describen.
Listen to the conversations. Identify the person they are describing.

¿? p139 adjectives ¿?

– Buenos días, señor.
= Buenos días. Mi hijo está perdido en el pueblo.
– No se preocupe, vamos a encontrarlo en seguida. ¿Cómo es?
= Pues, tiene 9 años y es bastante **alto**. Tiene el pelo **largo** y **rubio**. Y tiene los ojos **verdes**.
– Muy bien. Muchas gracias.

¿Cómo es?	What is he/she like?
alto	tall
bajo	short
corto	short
delgado	thin
gordo	fat
largo	long
moreno	dark
rizado	curly
rubio	blond

los ojos	eyes
azul(es)	blue
gris(es)	grey
marrón/ marrones	brown
negro(s)	black
verde(s)	green

2 En dos minutos empareja estos adjetivos con sus traducciones.
In two minutes pair these adjectives with their translations.
Luego con la ayuda de un diccionario, comprueba tus respuestas.
Then, with the help of a dictionary, check your answers.

tall	**bronceado**
short	**alto**
fat	**delgado**
thin	**guapo**
pretty	**feo**
handsome	**gordo**
ugly	**pelirrojo**
red-haired	**bonito**
sun-tanned	**bajo**
pale (skinned)	**pálido**

Respuestas correctas

10 ¡Sobresaliente! (¿Eres español!)
8+ Notable
6 Muy bien
5 Bien

3 Escucha la cinta y haz un dibujo de cada persona.
Listen to the cassette and draw each person.

". . . .Se busca a la niña Ana López. Tiene ocho años. Es baja y morena. Tiene el pelo largo y moreno, y los ojos azules."

4 Prepara un anuncio para cada una de estos niños perdidos. Grábala si puedes.
Prepare an announcement for each of these lost children. Record it if you can.

5 **a** En compañía.
Imagina que has perdido a tu hermano o hermana en El Capistrano. Tu pareja hace el papel de monitor. Practica una conversación.
Imagine that you have lost your brother or sister in El Capistrano. Your partner plays the part of the rep. Practise a conversation.

b Ahora cambia de turno.
Now change roles.

6 Lee y escucha esta conversación. ¿Cómo es el hermano de María?
Read and listen to this conversation. What is Maria's brother like?

p139 my and your ser and estar

– ¿Tienes hermanos, María?
= Pues, tengo un hermano, pero no tengo hermanas.
– ¿Cuántos años tiene tu hermano, entonces?
= Mi hermano tiene 18 años. Es muy **simpático**. Es **guapo**, **inteligente** y bastante **deportista**.
– ¿Está **casado**?
= No. Está **soltero**.

casado	married
divorciado	divorced
soltero	single
viudo	widowed

amable	friendly	estúpido	stupid	inteligente	intelligent
ambicioso	ambitious	formal	responsible	nervioso	nervous
callado	quiet	fuerte	strong	serio	serious
deportista	sporty	guapo	good-looking	simpático	kind
divertido	amusing	gracioso	funny	tímido	shy
elegante	elegant	hablador	chatty	trabajador	hardworking

7 Escucha los anuncios. Unos jóvenes buscan pareja. ¿Quién te gusta más y por qué?
Listen to the advertisements. Some young people are looking for partners. Who do you like best and why?

Para leer

1 Imagina que tú eres una de estas personas. Lee la información en los documentos de identidad y contesta estas preguntas.
Imagine that you are one of these people. Read the information on the cards and answer the questions.

España

NOMBRE
ROSA MARIA
PRIMER APELLIDO
GIMENO
SEGUNDO APELLIDO
MONTORO
TELEFONO
266–81–66
EXPED 09-08-1997

19434369–J

19434369–J

NACIO EN	VALENCIA	FECHA	20-09-1976
		SEXO	M
PROVINCIA	VALENCIA		
HIJO DE	MANUEL Y ROSA		
DIRECCION	C BUEN ORDEN 9		
LOCALIDAD	VALENCIA	EQUIPO	46745G6D1
PROVINCIA	VALENCIA		

ID<ESP<<<<<<<<<<<<<<<<<<<<<<<<<
19434369–J<<<<<<<<<<<<<<<<<<<<<

España

NOMBRE
JOSE LUIS
PRIMER APELLIDO
MUNOZ
SEGUNDO APELLIDO
TORNERO
TELEFONO
191–67–30
EXPED 15-03-1997

16892544–J

16892544–J

NACIO EN	SEVILLA	FECHA	02-03-1980
		SEXO	H
PROVINCIA	ANDALUCIA		
HIJO DE	RAFAEL Y JULIA		
DIRECCION	C PONZANO 50, 4ºA		
LOCALIDAD	SEVILLA	EQUIPO	38518A3F4
PROVINCIA	ANDALUCIA		

ID<ESP<<<<<<<<<<<<<<<<<<<<<<<<<
16892544–J<<<<<<<<<<<<<<<<<<<<<

a ¿Cómo te llamas? **b** ¿Cuántos años tienes? **c** ¿Cómo se escribe tu apellido?
d ¿De dónde eres? **e** ¿Cómo se llaman tus padres? **f** ¿Cuál es tu número de teléfono?

2 Lee esta carta de tu nueva amiga española, con la ayuda de un diccionario si quieres, y explica a un amigo que no habla español cómo es Isabel. Luego escribe una respuesta a Isabel.
Read this letter from your new Spanish friend, with the help of a dictionary if you want, and explain to a friend who doesn't speak Spanish what Isabel is like. Then write a reply to Isabel.

Hola.
¿Qué tal? Me llamo Isabel. Soy española. Soy de Pola de Laviana, un pueblo en Asturias, que está en el norte de España. Vivo aquí con mis padres y mi hermano.
Tengo 15 años y mi cumpleaños es el 27 de agosto.
Soy rubia. Tengo el pelo largo y los ojos azules. Soy delgada y no muy alta.
Tengo un hermano que se llama José Antonio y también un perro que se llama Viky.
Es negro y tiene el pelo corto.
Mi hermano tiene 8 años. Es bastante bajo. Tiene los ojos verdes, y es pelirrojo.
Es bastante tímido.
Bueno, escríbeme pronto con tus datos, y con algunos detalles de tu familia.
Hasta pronto.
Isabel

¡Enhorabuena! Ahora sabes cómo. . .	Congratulations! Now you know how to. . .
Objetivo 1: **pedir y dar datos personales**	Objective 1: **ask for and give personal details**
¿Cómo te llamas? Me llamo Peter Lambert. Mi nombre es Susan Howard.	What's your name? My name is Peter Lambert. My name is Susan Howard.
¿Cuántos años tienes? Tengo quince años.	How old are you? I am fifteen years old.
¿Cómo se escribe tu apellido? Se escribe T-H-O-M-A-S.	How is your surname spelt? It's spelt T-H-O-M-A-S.
¿Cuál es tu número de teléfono? Es el 286-39-01.	What's your telephone number? It's 286-39-01
¿Cuándo es tu cumpleaños? Es el veintitrés de noviembre.	When is your birthday? It's the 23rd of November.
enero; febrero; marzo; abril; mayo; junio; julio; agosto; se(p)tiembre; octubre; noviembre; diciembre	January; February; March; April; May; June; July; August; September; October; November; December
¿Tienes hermanos? Sí, tengo un hermano y una hermana. No, soy hijo único / hija única. ¿Estás aquí con tu familia?	Have you any brothers or sisters? Yes, I have one brother and one sister. No, I'm an only son/only daughter. Are you here with your family?
mi madre/mi padre el tío/la tía el abuelo/la abuela	my mother/my father uncle/aunt grandfather/grandmother
¿Tienes un animal? Sí, tengo un perro.	Do you have a pet? Yes, I have a dog.
un caballo; un conejo de indias; un ratón; un hámster; un pez; un gato; un pájaro; un periquito; un conejo	horse; guinea pig; mouse; hamster; fish; cat; bird; budgerigar; rabbit
Objetivo 2: **decir de dónde eres**	Objective 2: **say where you are from**
¿De dónde eres? Soy de Gran Bretaña. Soy inglés. Soy de España. Soy española.	Where are you from? I'm from Great Britain. I'm English. I'm from Spain. I'm Spanish.
Objetivo 3: **describir a personas**	Objective 3: **describe people**
¿Cómo es tu hermano? Es alto y bastante delgado. Tiene el pelo largo y rubio, y los ojos verdes.	What's your brother like? He's tall and quite thin. He has long blond hair and green eyes.
bajo; gordo; corto; rizado; moreno; bonito; guapo; feo; pelirrojo; pálido; bronceado; amable; ambicioso; callado; deportista; divertido; elegante; estúpido; formal; fuerte; gracioso; hablador; inteligente; nervioso; serio; simpático; tímido; trabajador	short (height); fat; short; curly; dark; pretty; good looking; ugly; red-haired; pale; sun-tanned; friendly; ambitious; quiet; sporty; amusing; elegant; stupid; responsible; strong; funny; chatty; intelligent; nervous; serious; kind; shy; hardworking
verde; azul; marrón; negro; gris	green; blue; brown; black; grey
casado; soltero; divorciado; viudo	married; single; divorced; widowed

Unidad 2

Tiempo libre

En esta unidad vas a aprender a:	In this unit you are going to learn to:
• hablar de tus intereses y de tus pasatiempos	• talk about your interests and pastimes
• mostrar acuerdo o desacuerdo	• show agreement or disagreement
• hablar de tu dinero	• talk about your pocket money

El director del curso quiere saber algo de los intereses de los monitores.
The course director wants to know something about the reps' interests.

Objetivo 1: **hablar de tus intereses y de tus pasatiempos**

speaking about your interests and pastimes

1 **a** Uno de los monitores habla de sus intereses. Escucha la conversación. ¿Cuántos deportes practica Juan?
One of the reps talks about his interests. Listen to the conversation. How many sports does Juan play?

– Pasa, Juan. Siéntate por favor.
= Gracias, señor Lopez.
– ¿Todo va bien?
= Sí, gracias. Estoy muy contento.
– Bien. Ahora, ¿quieres hablarme de tus intereses?
= Bueno, me gusta mucho la música. Sobre todo me gusta bailar. También **toco la guitarra**.
– Muy bien. ¿Te gusta el deporte?
= Sí. Me gustan los deportes – **el tenis** y **el badminton. Juego al squash** y **hago gimnasia**.
– ¡Qué bien! Muchas gracias.

jugar al	to play	golf
juego al. . .	I play. . .	hockey
baloncesto	(basketball)	squash
fútbol		tenis

Me gusta. . .	I like. . .
bailar	to dance
el dibujo	drawing
escuchar música	to listen to music
ir al cine	to go to the cinema
ir a la discoteca	to go to the discotheque
el windsurf	windsurfing
Me gustan. . .	I like. . .
los videojuegos	video games
los deportes	sports

tocar	to play	la guitarra	guitar
toco. . .	I play. . .	el piano	piano
la batería	drums	el teclado	keyboard
la flauta	flute		

¿Quieres hablarme de tus intereses?
Would you like to talk about your interests?

hacer	to do	gimnasia	
hago. . .	I do. . .	monopatín	(skateboarding)
atletismo		natación	(swimming)
ciclismo			
footing	(jogging)		

b Escucha otra vez. Ahora repite la conversación.
Listen again. Now repeat the conversation.

2 Escucha la cinta. ¿Qué les gusta hacer a las personas? Empareja cada conversación con la imagen correcta.

Listen to the cassette. What do the people like to do? Match up each conversation with the correct picture.

Por ejemplo: **1-E**

A

B

C

D

E

F

3 Escucha la conversación. ¿Qué intereses tiene Pilar?

Listen to the conversation. What are Pilar's interests?

– Hola, Pilar. Pasa, siéntate.

= Gracias, señor Lopez.

– ¿Todo va bien?

= Bastante bien, gracias. Estoy un poco cansada, pero bien.

– Ahora, ¿qué haces en tu tiempo libre?

= Bueno, me gusta **jugar con el ordenador**.

– Y, ¿te gusta ver la tele?

= No. No me gusta **ver la tele**.

– De acuerdo. ¿Te gustan los deportes?

– No están mal. Pero prefiero ir a la discoteca.

= Entonces, ¿cuál es tu actividad preferida?

– Sobre todo me gusta escuchar música popular. Es mi actividad preferida.

¿? p141 gustar ¿?

ir a pescar	to go fishing
jugar al ajedrez	to play chess
jugar con el ordenador	to play with the computer
leer	to read
montar en bicicleta	to go bikeriding

4 **a** En compañía.

Persona A: Pregúntale a tu pareja, "¿Te gustan los deportes?". Escribe su respuesta para cada imagen.

Ask your partner "Do you like sports?". Write down their reply for each picture.

1 

2 

3 

4 

5 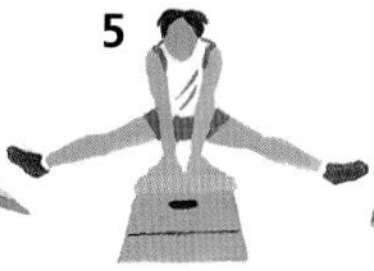

6 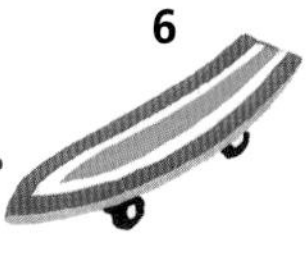

Persona B: Contesta la pregunta de tu pareja, tomando cada imagen por turno.

Answer your partner's question, taking each picture in turn.

Por ejemplo: A – **¿Te gustan los deportes?**
B – **Sí, me gusta el atletismo.**
or B – **No me gusta el atletismo, prefiero hacer monopatín.**

b Ahora, cambia de turno.

Now change roles.

p141 present tense

5 Escucha la cinta. ¿Quién habla? Empareja los nombres con las imágenes.
Listen to the cassette. Who is speaking? Match up the names with the pictures.
Por ejemplo: **A – Ernesto**

A
Me gustan los deportes. Sobre todo el tenis.
B
A mí me gusta montar en bicicleta o ir a pescar.
C
Pues, yo toco la guitarra y hago ciclismo.
D
Bueno, la natación no está mal, pero prefiero hacer footing.
Begoña
Ernesto
Simón
Marisol

6 Lee estas preguntas. ¿Las entiendes?
Read these questions. Do you understand them?

Para saber la respuesta a cada pregunta, empareja los trozos de papel.
To find out the answer to each question, match up the pieces of paper.

- **Mi actividad preferida**
- **el ordenador.**
- **es el windsurf.**
- **Juego con**
- **Prefiero**
- **batería en la banda del pueblo.**
- **Pues, sí. Toco la**
- **jugar al fútbol.**

7 **a** En compañía.

Persona A: Haz una de estas preguntas a tu pareja y escribe su respuesta.
Ask your partner one of these questions and write the reply.

Persona B: Elige una imagen y contesta la pregunta de tu pareja.
Choose a picture and answer your partner's question.

Por ejemplo:
A – *¿Qué deporte prefieres?*
B – *Prefiero montar en bicicleta.*

¿Qué haces en tu tiempo libre?	¿Qué deporte prefieres?	¿Cuál es tu actividad preferida?

b Ahora, cambia de turno.
Now change roles.

8 **a** Los monitores entrevistan a la gente. Escucha la conversación.
The reps interview people. Listen to the conversation.

- Hola, señor Carbonell. ¿Le gustan los deportes?
= No mucho. No soy deportista.
- ¿Le gusta la lectura?
= Sí, me gusta mucho. Me gusta leer novelas.
- Muchas gracias.
= De nada.

b Ahora escucha otra vez y repite las preguntas.
Now listen again and repeat the questions.

9 Escucha la cinta. Empareja cada persona con su actividad preferida.
Listen to the cassette. Match up each person with their favourite activity.
Por ejemplo: **1–D**

10 Escucha la conversación y rellena los espacios.
Listen to the conversation and fill in the spaces.

- Hola, señor González. ¿Cómo está usted?
= Muy bien, gracias. Estoy muy contento.
- ¿Quiere hablarme de sus intereses?
= Bueno, me gusta la música popular y clásica, y __________ la __________.
- ¿Le gustan los deportes?
= Sí, hombre. Me ______________________________. Sobre todo me gusta el __________ y el __________ . Y tú, ¿qué prefieres como deporte?
- ____________________.

11 Rompecabezas. En menos de tres minutos descifra estas actividades y haz dos listas bajo estas categorías.

Mindbender. In less than three minutes unjumble these activities and make two lists under these headings.

Juego al	Hago

usahsq   oflg   ótnncaai   simcolci   lttemoasi   yokhec   gontiof   úblfot

12 **a** Aquí están los resultados de una encuesta. Mira la tabla y contesta las preguntas.

Here are the results of a survey. Look at the graph and answer the questions.

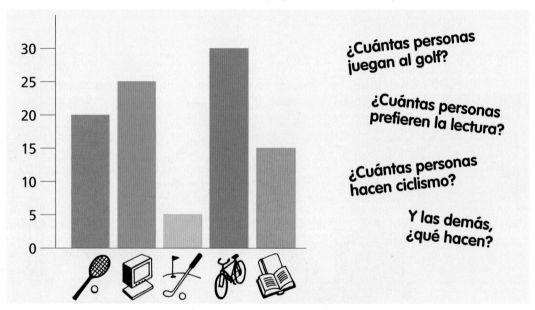

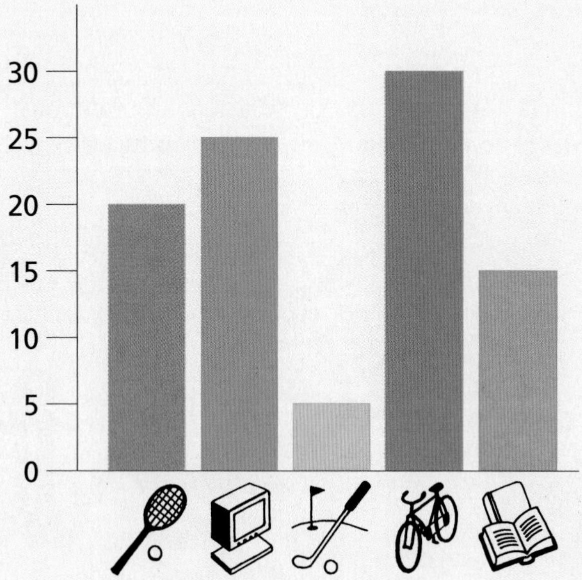

¿Cuántas personas juegan al golf?

¿Cuántas personas prefieren la lectura?

¿Cuántas personas hacen ciclismo?

Y las demás, ¿qué hacen?

b Con la ayuda de la información en la tabla arriba, rellena los espacios en este artículo sobre las actividades de los jóvenes en España.

With the help of the information in the above table, fill in the blanks in this article about young people's activities in Spain.

¿Cuáles son los intereses más populares de los jóvenes en España? A muchas personas, les gustan los deportes. El deporte más popular es el . También, personas juegan al tenis. En general, no les gusta mucho jugar al - es el deporte preferido de personas. En total, personas practican un deporte.

Después del ciclismo, la actividad preferida de los jóvenes es la televisión. El otro interés que mencionan es la - personas prefieren leer.

Objetivo 2: **mostrar acuerdo o desacuerdo**

show agreement or disagreement

1 Unos jóvenes hablan de sus intereses. Escucha las conversaciones.
Some young people talk about their interests. Listen to the conversations.

a)

– Oye, ¿te gusta pescar?

= No. **No me gusta nada**. Es **cruel**.

– **Estoy de acuerdo**. Prefiero **montar a caballo**.

= **Yo también**. **Me encanta**. Vamos a montar a caballo entonces.

– **Vale**.

= ¡Qué bien!

b)

– **No me gusta nada** el ping-pong. ¿Y a ti?

= **A mí tampoco**. Pero me gusta **sacar fotos**. Es **interesante**.

– Yo **no estoy de acuerdo**. En mi opinión es muy **aburrido**. Me gusta más **jugar a las cartas**.

= Bueno. Vamos a jugar a las cartas entonces.

– ¡Estupendo!

¿Estás de acuerdo?	Do you agree?
Me encanta.	I love it.
Yo/A mí también.	Me too.
Vale.	OK.
No estoy de acuerdo.	I don't agree.
No me gusta nada.	I don't like it at all.
Yo/A mí tampoco.	Me neither.

En mi opinión es . . .

aburrido	boring	divertido	entertaining
agradable	enjoyable	estupendo	great
cruel	cruel	horrible	horrible
difícil	difficult	interesante	interesting

dar un paseo	to go for a walk
ir a la bolera	to go bowling
ir de compras	to go shopping
ir en moto	to ride a motorbike
jugar al billar	to play billiards
jugar a las cartas	to play cards
jugar al ping-pong	to play table tennis
montar a caballo	to go horse-riding
patinar	to skate
sacar fotos	to take photographs

2 ¿Qué opina la gente? Escucha y empareja, como en el ejemplo.
What do people think? Listen and match up, as in the example.
Por ejemplo: *A Fátima no le gusta la pesca porque es cruel.*

Fátima

Roberto

Carlos

Elena

Clara

es interesante

es aburrido

es divertido

es agradable

es cruel

3 ¿Qué prefiere hacer cada persona? Escucha la cinta y escribe las respuestas con la ayuda de estas palabras y frases.

What does each person prefer to do? Listen to the cassette and write down the answers with the help of these words and phrases.

Por ejemplo: **Juan prefiere montar a caballo.**

Juan Jane Susana Ricardo Beatriz Sebastián	prefiere	jugar tocar ir hacer sacar montar	a las cartas ciclismo a caballo fotos natación la guitarra al cine al fútbol de compras

4 **a** En compañía.

Persona A: Entrevista a tu pareja con la ayuda de las imágenes.

Interview your partner with the help of the pictures.

Persona B: Da tu opinión para cada actividad.

Give your opinion on each activity.

Por ejemplo: **A – A – A mí me gusta ir a la bolera. ¿Y a ti?**
B – No. No me gusta. Es aburrido. Prefiero montar a caballo.

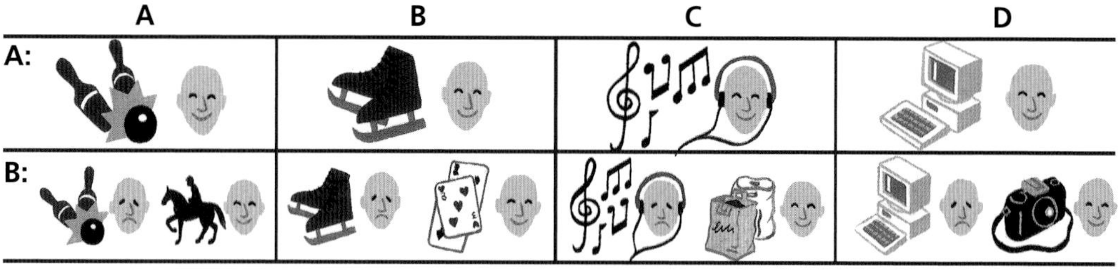

b Ahora cambia de turno.

Now change roles.

5 Escribe esta conversación en el orden correcto.

Write this conversation in the correct order.

- ¿Te gusta el ciclismo?
- Bueno, me gusta jugar al tenis o escuchar música.
- Hola, Lucía. ¿Todo va bien?
- Dime. ¿Qué haces en tu tiempo libre?
- No me gusta nada. Es aburrido. ¿Te gusta a tí el ciclismo?
- Sí, pero prefiero montar a caballo. Es muy agradable.
- Sí, gracias. Estoy contenta.

6 Completa las frases con la palabra adecuada.

Complete the phrases with the correct word.

Me gusta el hockey. Es . . .
Yo prefiero la lectura. Es . . .
No me gustan los deportes. Son . . .
También me gusta bailar. Es . . .
Me gusta más patinar. Es . . .

aburridos, estupenda, difícil, interesante, cruel, agradable, divertido

Objetivo 3: **hablar de tu dinero**

talking about your pocket money

1 Unos jóvenes hablan de su dinero. Escucha las conversaciones.
Some young people talk about their pocket money. Listen to the conversations.

a)

– Oye, Paco. ¿Cuánto dinero recibes de tus padres?
= **Dos mil pesetas** por semana.
– ¿Cómo lo gastas?
= Bueno, compro **cassettes** y **revistas**. ¿Y tú?
– Yo tengo **mil** pesetas por semana. Voy a **la piscina** o a la **discoteca**.
= ¡Qué interesante!

b)

– ¿Cuánto dinero te dan tus padres?
= Me dan cinco libras por semana.
– ¿Es suficiente?
= Sí. Compro **caramelos** y **películas** para la máquina fotográfica. ¿Y tú?
– A mí me dan **novecientas** pesetas por semana y no es suficiente. Quiero comprar **discos compactos** e ir al **cine**, pero no puedo con sólo novecientas pesetas.
= ¡Qué lástima!

¿Cuánto dinero recibes?
How much money do you get?

cien pesetas	100 pesetas
doscientos/as	200
trescientos/as	300
cuatrocientos/as	400
quinientos/as	500
seiscientos/as	600
setecientos/as	700
ochocientos/as	800
novecientos/as	900
mil	1,000

Comprar	to buy
Compro. . .	I buy. . .
billetes de lotería	lottery tickets
caramelos	sweets
gafas de sol	sunglasses
libros	books
películas	films
perfume	perfume
periódicos	newspapers
revistas	magazines
ropa	clothes
tebeos	comics

el centro	town centre
el cine	cinema
la discoteca	discotheque
el estadio	stadium
el parque	park
la piscina	swimming pool
la playa	beach
la plaza de toros	bull ring
el polideportivo	sports centre
el teatro	theatre

2 Escucha las conversaciones y completa el tablero.
Listen to the conversations and complete the table.

¿Cuánto dinero recibes?

¿Qué haces con el dinero?

Nombre	Dinero	Compro
Michael	500	libros

3 Escucha las conversaciones. ¿Adónde van las personas?

Listen to the conversations. Where are the people going?

Por ejemplo: **1–E**

A

B

C

D

E

F

4 Empareja cada pregunta con la respuesta adecuada.

Match each question with the correct answer.

¿Cuánto dinero recibes?

Voy al cine o compro caramelos.

Me dan cinco libras por semana.

No, quiero ir a la discoteca y comprar revistas.

Setecientas pesetas por semana.

¿Es suficiente?

¿Qué haces con el dinero?

¿Cuánto dinero te dan tus padres?

5 Ahora te toca a ti. Contesta estas preguntas.

Now it's your turn. Answer these questions.

¿Cuánto dinero recibes de tus padres?

¿Es suficiente?

¿Qué haces con el dinero?

6 En compañía.

Habla de tu dinero. Escribe una conversación y practícala con tu pareja.

Talk about your money. Write a conversation and practise it with your partner.

1 Lee estos textos de una revista para jóvenes.
Read these passages from a magazine for young people.

Así es la juventud española

¿Qué hacen los jóvenes en su tiempo libre?

El deporte es muy importante para el tiempo libre de los chicos jóvenes españoles. Los deportes más practicados son la natación, el fútbol y el ciclismo.

En general las chicas españolas son menos deportistas que los chicos. Les gusta ver la televisión e ir a la discoteca. También leen mucho, sobre todo revistas y tebeos.
¿En qué gastan los jóvenes el dinero?

Preguntamos a cien chicos y chicas en qué gastan el dinero que reciben de sus padres. Aquí están los resultados de esta encuesta:

Cassettes y discos compactos	**81**
Maquillaje, perfume y colonia	**46**
Ordenador y videojuegos	**27**
Ir a la discoteca	**68**
Revistas, periódicos, tebeos y libros	**53**
Caramelos y chocolates	**19**
Bebidas	**93**
Tabaco	**34**
Ir al cine	**9**
Ropa	**75**

2 Ahora pregunta a tus compañeros de clase en qué gastan su dinero. ¿Hay algunas cosas que no están en esta lista?
Now ask your classmates what they spend their money on. Are there some things that are not on this list?

¡Enhorabuena! Ahora sabes cómo. . . | Congratulations! Now you know how to. . .

Objetivo 1: **hablar de tus intereses y de tus pasatiempos**	Objective 1: **talk about your interests and hobbies**
¿Quieres hablarme de tus intereses?	Would you like to talk to me about your interests?
¿Qué haces en tu tiempo libre? ¿Cuál es tu actividad preferida? ¿Te gustan los deportes? ¿Te gusta ver la tele? Juego al billar; hago gimnasia.	What do you do in your spare time? What is your favourite activity? Do you like sports? Do you like watching television? I play billiards; I do gymnastics.
Me gusta mucho la música; el dibujo. Me gustan los deportes; los videojuegos. No me gusta nada la pesca. Prefiero ir a la discoteca. Mi actividad preferida es el windsurf.	I really like music; drawing. I like sports; videogames. I can't stand fishing. I prefer to go to the discotheque. My favourite activity is windsurfing.
Es aburrido; agradable; cruel; difícil; divertido; estupendo; horrible; interesante.	It's boring; pleasant; cruel; difficult; enjoyable; brilliant; horrible; interesting.
tocar la batería; la flauta; la guitarra; el piano; el teclado hacer atletismo; ciclismo; footing; natación; monopatín jugar al baloncesto; fútbol; ajedrez bailar; escuchar música; ir al cine; ir de compras; leer; ver la tele; jugar con el ordenador; dar un paseo; ir a la bolera; ir en moto; jugar al billar; jugar a las cartas; montar en bicicleta; montar a caballo; patinar; sacar fotos	to play the drums; the flute; the guitar; the piano; the keyboard to do athletics; cycling; jogging; swimming; skateboarding to play basketball; football; chess to dance; to listen to music; to go to the cinema; to go shopping; to read; to watch T.V.; to play on the computer; to go for a walk; to go to bowling; to ride a motor bike; to play billiards; to play cards; to go bikeriding; to ride a horse; to skate; to take photographs
Objetivo 2: **mostrar acuerdo o desacuerdo**	Objective 2: **to show agreement or disagreement**
¿Estás de acuerdo?; no estoy de acuerdo. Me encanta. Yo/A mi también; a mí tampoco. Vale. No me gusta nada.	Do you agree?; I don't agree. I love it. Me too; me neither. OK. I don't like it at all.
Objetivo 3: **hablar de tu dinero**	Objective 3: **to talk about your pocket money**
¿Cuánto dinero recibes de tus padres? Me dan cinco libras por semana. ¿Cómo lo gastas? Compro cassettes y revistas. Voy a la piscina.	How much money do you get from your parents? They give me £5 a week. How do you spend it? I buy cassettes and magazines. I go to the swimming pool.
billetes de lotería; revistas; tebeos; libros; periódicos; caramelos; perfume; ropa; películas; gafas de sol	lottery tickets; magazines; comics; books; newspapers; sweets; perfume; clothes; films; sunglasses
la discoteca; la playa; la plaza de toros; el centro; el cine; el teatro; el estadio	the discotheque; the beach; the bullring; the centre; the cinema; the theatre; the stadium
cien; doscientos; trescientos; cuatrocientos; quinientos; seiscientos; setecientos; ochocientos; novecientos; mil	100; 200; 300; 400; 500; 600; 700; 800; 900; 1,000

Unidad 3

Las vacaciones

En esta unidad vas a aprender a:	In this unit you are going to learn to:
• hablar de tus preferencias para salir; y expresar tu opinión sobre las actividades deportivas	• talk about your preferences for going out; and express your opinion about sporting activities
• pedir y dar información sobre excursiones, visitas, horarios y precios; y comprar billetes y entradas	• ask for and give information about excursions, visits, times and prices; and buy tickets
• hablar de tus vacaciones	• talk about your holidays

Como parte de su trabajo los monitores hacen una encuesta en El Capistrano.
As part of their job the reps carry out a survey in El Capistrano.

Objetivo 1: **hablar de tus preferencias para salir; y expresar tu opinión sobre las actividades deportivas**

talking about your preferences for going out; and expressing your opinion about sporting activities

1 **a** Uno de los monitores entrevista a un veraneante. Escucha esta conversación. ¿Está contenta esta señora?
One of the reps interviews a holiday-maker. Listen to the conversation. Is this lady happy?

– Perdone, señora. ¿Puedo hacerle algunas preguntas sobre El Capistrano?

= Sí. Por supuesto.

– Gracias. ¿Le gustan **las piscinas** en el pueblo?

= Pues, sí. Están bien. Pero prefiero **el polideportivo**.

– Bien. Y, ¿qué tal las **pistas de tenis**?

= Son **estupendas**. También me gustan **los jardines**. Son muy **bonitos**. Nos gusta mucho **pasear** por los jardines.

– Sí. A mí también. Muchas gracias, señora.

= De nada.

la bolera	bowling alley
el club para jóvenes	youth club
los jardines	gardens
el parque (infantil)	(children's) park
la pista de hielo	ice rink
la pista de tenis	tennis court
la sala de fiestas	night club
el zoo	zoo

dar una vuelta	to go for a walk
descansar	to have a rest
pasear	to go for a stroll
salir	to go out
tomar el sol	to sunbathe
visitar (el museo de arte)	to visit (the art museum)

bonito	beautiful
estupendo	excellent
histórico	historic
tranquilo	peaceful

b Ahora escucha la conversación otra vez, y repítela.
Now listen to the conversation again, and repeat it.

2 Escucha las conversaciones. ¿Qué sitio prefiere cada persona?
Listen to the conversations. Which place does each person prefer?
Por ejemplo: **1–C**

A B C D E F

3 **a** Pon las frases en orden y escribe dos conversaciones.
Put the phrases in order and write two conversations.
Persona A: verde **Persona B:** azul

No, no me gustan. Prefiero visitar los museos de arte.

Y ¿le gustan los jardines?

Sí. Son muy bonitos y tranquilos.

¿Le gustan los jardines aquí?

Pues, sí. Están bien.

Bien. Y ¿le gustan las salas de fiestas?

Sí, también me gustan. Pero prefiero tomar el sol en la piscina.

¿Le gustan los clubs para los jóvenes aquí?

b En compañía. Ahora practica estas conversaciones con tu pareja.
Now practise these conversations with your partner.

4 ¡Te toca a tí! Imagina una conversación con una persona española que visita tu pueblo. Escríbela y practícala con tu pareja.
It's your turn. Imagine a conversation with a Spanish person who is visiting your town. Write it down and practise it with your partner.

5 **a** Escucha esta conversación. ¿Qué hizo este joven ayer?
Listen to this conversation. What did this young man do yesterday?

p143 ¿? preterite tense ¿?

– Perdona. ¿Puedo hacerte algunas preguntas sobre los partidos de ayer?
= Sí, por supuesto.
– Gracias. ¿Qué hiciste ayer? ¿**Jugaste en el torneo de tenis**?
= No, no participé. Pero sí que vi un partido.
– Y, ¿**estuvo bien**?
= No. Fue muy **aburrido**. Yo **jugué un partido de ping-pong**. Eso fue **interesante**, y bastante **emocionante**.
– ¿Ah, sí?
= Sí. ¡Porque **gané**!

ser	to be
fue. . .	it was. . .
aburrido	boring
emocionante	exciting
fatal	awful
interesante	interesting
regular	so-so

bailar flamenco	to dance flamenco
esquiar	to ski
hacer vela	to go sailing
jugar	to play
jugué. . .	I played. . .
al ajedrez	chess
al fútbol sala	at indoor football
al minigolf	at mini-golf
participar en	to take part in
participé en. . .	I took part in. . .
una partida (de ajedrez)	a game (of chess)
un partido (de ping-pong)	a (table-tennis) match
el torneo (de tenis)	the (tennis) tournament
ganar	to win
perder	to lose

estar	to be
estuvo bien	it was all right, OK

b En compañía.
Ahora trabaja con una pareja y practica la conversación.
Now work with a partner and practise the conversation.

6 ¿Qué hicieron ayer? Escucha las conversaciones. Empareja cada conversación con la imagen correcta.
What did they do yesterday? Listen to the conversations. Match up each conversation with the correct picture.
Por ejemplo: **1–F**

A

B

C

D

E

F

7

Con la ayuda de las imágenes, empareja cada actividad con la reacción adecuada. Rellena los espacios.

With the help of the pictures, match up each activity with the correct reaction. Fill in the blanks.

Por ejemplo: **A Vi un partido de tenis. Fue muy aburrido.**

– estupendo

– fatal

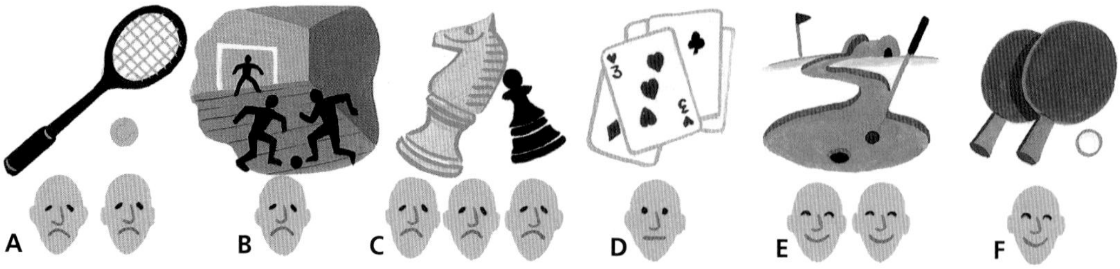

Vi un par____ de tenis. **Fue reg___ar.** **Ju___é al minigolf.**
Fue muy ab___ido. **Jugué al fút___sala.**
Participé en un tor___de cartas. **Fue fat___.** **Estuvo b__n.**
Fue em___onante. **Participé en una part___de ajedrez.**
Partic____ en un torneo de ping-pong. **Fu__ aburrido.**

8

a En compañía.

Un monitor entrevista a uno de los clientes de El Capistrano. Escribe la conversación entre ellos, cambiando las palabras en rojo, y practícala con tu pareja.

A rep interviews one of El Capistrano's customers. Write the conversation between them, changing the words in red, and practise it with your partner.

– Perdona. ¿Puedo hacerte algunas preguntas?
= Sí, por supuesto.
– Bueno, ¿qué hiciste ayer en El Capistrano?
= Pues, **jugué al minigolf**.
– ¿Ah, sí? Y ¿estuvo bien?
= **Sí**. Fue **bastante interesante**.
– De acuerdo. Muchas gracias.

b Ahora cambia de turno.

Now change roles.

9

a Lee esta postal de tu amiga española. Explica lo que dice a tus padres que no hablan español.

Read this postcard from your Spanish friend. Explain what it says to your parents who don't speak Spanish.

b Estás de vacaciones. Escribe una postal a tu amigo español para explicarle lo que hiciste ayer.

You are on holiday. Write a postcard to your Spanish friend to explain what you did yesterday.

¡Hola!

Estoy de vacaciones en El Capistrano. Es un pueblo muy bonito y el polideportivo es estupendo. Ayer participé en un torneo de minigolf. Estuvo muy bien y ¡gané un trofeo! Esta mañana hice vela. Fue emocionante.

Hasta pronto.

Tu amiga Carlota.

Objetivo 2: **pedir y dar información sobre excursiones, visitas, horarios y precios; y comprar billetes y entradas**

ask for and give information about excursions, visits, times and prices; and buy tickets

1 En la oficina de turismo. Escucha y repite esta conversación. ¿Cuáles son los detalles de esta excursión?

In the tourist information office. Listen to and repeat this conversation. What are the details of this excursion?

– Buenas tardes, señora.

= Buenas tardes. Quisiera información sobre las excursiones, por favor.

– De acuerdo. ¿Cuándo quiere ir?

= El **viernes**, a ser posible.

– Bueno, este viernes hay una excursión en autocar a Granada. Granada es una ciudad interesante y muy pintoresca.

= Muy bien. Y, ¿cuánto cuesta?

– **Cuatro mil** pesetas por persona.

= Y, ¿a qué hora sale el autocar?

– Sale **a las ocho menos cuarto de la mañana**, y vuelve **a las seis y media de la tarde**.

= Muy bien. Pues, deme cuatro billetes para esa excursión, por favor.

¿? p144 hay ¿?

lunes	Monday
martes	Tuesday
miércoles	Wednesday
jueves	Thursday
viernes	Friday
sábado	Saturday
domingo	Sunday

mil	1,000
dos mil	2,000
tres mil etc.	3,000 etc.
cien mil	100,000
un millón	1,000,000

Un poco de cultura

In 711 AD the Moors invaded Spain from North Africa. The rocky coast where they landed was named after their leader as Tariq's Rock (in Arabic, Gebal al-Tariq). This is how Gibraltar got its name. The influence of the Moors can be seen throughout Southern Spain, particularly in cities such as Granada, Cordoba and Seville.

¿A qué hora?

a mediodía
a medianoche

a la una **a las dos** **a las tres** **a las cuatro** **a las cinco** **a las seis etc.**	**y** **menos**	**cinco** **diez** **cuarto** **veinte** **veinticinco** **media**	**de la mañana** **de la tarde** **de la noche**

Granada

Córdoba

Sevilla

2 Escucha la cinta. ¿A qué hora sale cada autocar?

Listen to the cassette. At what time does each coach leave?

Un poco de cultura

The Spanish word **tarde** can mean either 'afternoon' or 'evening', covering the time from approximately 1.00-8.00 p.m. After that time **noche** is used.

Sale a las tres menos veinte de la tarde.

3 ¿A qué hora vuelve? Empareja cada reloj con la frase correcta.

At what time does it return? Match up each clock with the correct phrase.

Por ejemplo: A *Vuelve a las cinco de la tarde.*
A
B
C
D
E
Vuelve a medianoche.
Vuelve a las nueve menos cuarto de la noche.
Vuelve a las diez y veinticinco de la noche.
Vuelve a las siete menos diez de la tarde.
Vuelve a las cinco de la tarde.

4 En compañía.

Con la ayuda de los relojes en las actividades 2 y 3, trabaja con tu pareja para contestar por turnos la pregunta, "¿A qué hora sale y vuelve el autocar?"

With the help of the clocks in activities 2 and 3, work with your partner and take it in turns to answer the question, "When does the coach leave and return?".

Por ejemplo: **A – ¿A qué hora sale y vuelve el autocar?**
B – Sale a las diez y cuarto de la mañana y vuelve a las cinco de la tarde.

5 **a** En compañía.

Mira este horario para una excursión en barco. Imagina una conversación entre un monitor y un veraneante. Si es necesario, mira el modelo en la página 31.

Look at this timetable for a boat excursion. Imagine a conversation between a rep and a holidaymaker. If necessary, look at the model on page 31.

Persona A: Elige el sitio de dónde quieres salir, y pregunta a tu pareja cuándo sale y vuelve el autocar, y cuánto cuesta la excursión.
Choose the place you want to leave from, and ask your partner when the coach leaves and returns, and how much it costs.

Persona B: Tu pareja quiere detalles de la excursion. Contesta sus preguntas.
Your partner wants details of the excursion. Answer his questions.

Por ejemplo: **A – Buenos días. Quisiera información sobre la excursión en barco desde el Hotel Jimesol.**
B – Muy bien. ¿Cuándo quiere ir?
A – El viérnes, a ser posible.
B – . . . .

Salidas: lunes, martes, jueves, viérnes, sábado, domingo(*)

Recogidas	**Salida**	**Vuelta**
Hotel Monica	08.15	14.45
Hotel Perla Marina	08.15	14.45
Hotel Jimesol	08.15	14.45
Supermercado Iranzo	08.25	14.55
Hotel Nerja Club	08.30	15.00
Capistrano Playa/Oasis	08.30	15.00
Playa Maro	08.40	15.10
Marinas de Nerja	08.05	14.35
Torrox-Costa	08.00	14.30

Precio - 7.850 ptas por persona

(*) domingos de abril a octubre

b Ahora escribe la conversación.
Now write the conversation.

6 ¿A qué hora abren las piscinas? Escucha y repite esta conversación.
At what time do they open the swimming pools? Listen to and repeat this conversation.

¿? p144 present tense ¿?

– Hola. Buenos días.
= Hola. ¿A qué hora abren las piscinas, por favor?
– Bueno, abren la piscina pequeña a las nueve y media, y la piscina grande a las diez.
= Y, ¿cuándo las cierran?
– Cierran de doce a tres, y luego a las nueve y media de la noche.
= Gracias.
– ¿Necesita algo más?
= Pues, sí. ¿Cuánto cuesta **alquilar una pista de tenis** para **una hora**?
– Vamos a ver. Ah, sí. Mil pesetas la hora.

alquilar	to hire
una bicicleta	bicycle
un monopatín	skateboard
una pista de tenis	tennis court
una tumbona	sun-lounger

para . . .	for . . .
una hora	an hour
dos horas etc.	two hours etc.
media hora	half an hour
un día	a day
medio día	half a day

7 Mira estos anuncios y explica las horas de apertura de cada sitio.
Look at these advertisements and explain the opening hours of each place.

Por ejemplo: A **Abren la piscina grande a las diez de la mañana y cierran a las cinco de la tarde.**

A B C D

8 **a** En la piscina. Escucha esta conversación. ¿Cuánto cuestan las entradas?
At the swimming pool. Listen to this conversation. How much are the tickets?

– ¿Cuánto cuesta la entrada para **la piscina**?
= Trescientas pesetas.
– Pues, deme dos, por favor.
= Seiscientas pesetas.
– Aquí tiene.
= Gracias.

el concierto	concert
la corrida	bullfight
el teatro	theatre
el zoo	zoo

deme	give me
aquí tiene	here you are

b Ahora cambia el precio de la entrada y practica la nueva conversación con tu pareja.
Now change the price of the ticket and practise the new conversation with your partner.

9 Mira estas entradas e imagina las conversaciones en la taquilla, luego practícalas con tu pareja.
Look at these tickets and imagine the conversations at the ticket office, then practise them with your partner.

A

B

C

D

Objetivo 3: **hablar de tus vacaciones**

talking about your holidays

1 Escucha y lee esta conversación. ¿Cómo pasó este señor sus vacaciones el verano pasado?

Listen to and read this conversation. How did this man spend his holidays last summer?

– Perdone, señor. ¿Puedo hacerle algunas preguntas?
= Sí. Por supuesto.
– ¿Dónde pasó usted sus vacaciones el verano pasado?
= Pues, fui a **las Islas Canarias** con mi familia.
– ¿A **un hotel**?
= No. **Alquilamos un apartamento** pequeño.
– Y, ¿le gustó?
= ¡Sí! ¡Fue maravilloso! **Tomé el sol**, **jugamos en la playa**, y **comimos en algunos restaurantes** muy buenos.

alquilé/alquilamos. . .	I/we hired/rented. . .
me quedé/nos quedamos en. . .	I/we stayed in . . .
un apartamento	a flat
un camping	a campsite
una caravana	a caravan
un hotel	a hotel

fui/fuimos de excursión	I/we went on a trip
vi/vimos muchas cosas	I/we saw lots of things
nadé/nadamos en el mar	I/we swam in the sea
tomé/tomamos el sol	I/we sunbathed
saqué/sacamos fotos	I/we took photos
jugué/jugamos en la playa	I/we played on the beach
di/dimos un paseo	I/we went for a walk
comí/comimos en un restaurante	I/we ate in a restaurant
visité/visitamos varios sitios interesantes	I/we visited several interesting places

2 Imagina que estas fotos son de tus vacaciones. Trabaja con tu pareja para completar la conversación utilizando las cuatro frases.

Imagine that these photos are of your holidays. Work with a partner to complete the conversation using the 4 phrases.

Por ejemplo: A – ¿Dónde pasaste tus vacaciones el verano pasado?
B – Pues, fui a la Costa del Sol.
A – . . . .

¿Dónde pasaste tus vacaciones?

¿Te quedaste en un hotel?

¿Te gustó?

¿Qué hiciste?

Para leer

1

a Recibes estas postales de dos amigos españoles. En tu opinión, ¿quién pasó las mejores vacaciones? ¿Por qué?

You receive these postcards from two Spanish friends. In your opinion who had the better holiday? Why?

¡Hola!

En agosto fui con mi familia a la Costa Brava. Alquilamos un apartamento en la playa. Tomé el sol todos los días y también alquilé una tabla de windsurf un día. Fue estupendo. Por las tardes comimos en varios restaurantes muy buenos y por las noches fui a la discoteca.

Un abrazo,
Carmen.

¡Hola!

Este año fui a las Islas Baleares con mis amigos. Nos quedamos en un camping. Todos los días fuimos a la piscina. Visitamos unos jardines muy bonitos, y también un día fuimos de excursión a unas cuevas históricas muy interesantes.

Vi muchas cosas y saqué un montón de fotos.

Hasta pronto,
Miguel.

b Ahora escribe una postal a tu amigo/amiga español/española contándole lo que hiciste durante tus vacaciones.

Now write a postcard to your friend to say what you did during your holidays.

2 **Una visita al parque de atracciones 'Port Aventura'.**

Lee estos extractos de un folleto para el parque de atracciones 'Port Aventura' en la Costa Dorada. Imagina una conversación con tu amigo/amiga español/española sobre tu visita, o describe tu visita en una carta.

Read these extracts from a leaflet for the theme park Port Aventura, on the Costa Dorada. Imagine a conversation with your Spanish friend about your visit, or describe your visit in a letter.

Port Aventura tiene 28 atracciones, 9 espectáculos, 8 juegos y 16 actuaciones callejeras. En una visita de un día es imposible verlo todo, pero se puede combinar atracciones para distintas edades, además de visitar algunos de sus 23 puntos de restauración y de sus 18 tiendas de recuerdos.

Los accesos

Si vienes en coche, puedes llegar a Port Aventura por las carreteras C-240 y N-340. Si viajas por la autopista A-7, coge la salida 35, te llevará directo al parking.

El Parque dispone de estación de RENFE. Los trenes también paran en las estaciones de Salou y Reus.

Hay autobuses que van directos al Parque desde la estación de Reus y diversos puntos de Salou y zonas próximas. Port Aventura dispone de un parking vigilado, gratuito para autocares.

El horario

Esta temporada, los horarios son:

Del 2 de mayo al 22 de junio y del 17 de septiembre al 29 de octubre de las 10h a las 20h.

Del 23 de junio al 16 de septiembre de las 10h a las 24h.

Las entradas

Adulto - 2250ptas

Joven (menos de 16 años) - 1500ptas

Mayores de 65 años - 1500ptas

Menores de 3 años - gratis

Bono familiar (2 adultos, 2 menores de 16 años) - 6000ptas

Las entradas dan derecho a montar en todas las atracciones y asistir a todos los espectáculos sin limitación.

En el caso de haber condiciones metereológicas adversas (lluvias, viento fuerte. . .) o bien por causas técnicas, algunas atracciones podrían permanecer cerradas.

Es necesario conservar la entrada durante la estancia en el Parque.

¡Enhorabuena! Ahora sabes cómo. . . | Congratulations! Now you know how to. . .

Objetivo 1: **hablar de tus preferencias para salir**	Objective 1: **talk about your preferences for going out**
¿Qué tal las pistas de tenis? Están bien. Es bonito; estupendo; histórico; tranquilo.	What are the tennis courts like? They are good. It's pretty; marvellous; historic; quiet.
el club para jóvenes; los jardines; el parque (infantil); la pista de hielo; la pista de tenis; la sala de fiestas	the youth club; the gardens; the (children's) park; the ice rink; the tennis court; the night club
dar una vuelta; descansar; pasear; salir; tomar el sol; visitar el museo	to go for a walk; to rest; to go for a stroll; to go out; to sunbathe; to visit the museum
(No) participé en el torneo de tenis.	I (didn't take) took part in the tennis tournament.
Vi un partido de fútbol sala. Estuvo bien. Jugué una partida de ajedrez. Fue emocionante; fatal; regular. Gané; perdí.	I saw a game of indoor football. It was good. I played a game of chess. It was exciting; awful; so-so. I won; I lost.
jugar al minigolf bailar flamenco; esquiar; hacer vela	to play minigolf to dance flamenco; to ski; to go sailing

Objetivo 2: **pedir y dar información sobre excursiones y visitas**	Objective 2: **ask for and give information about excursions and visits**
Quisiera información sobre las excursiones. ¿Cuándo quiere ir? Hay una excursión en autocar a Granada.	I would like some information about the excursions. When do you want to go? There's an coach trip to Granada.
lunes; martes; miércoles; jueves; viernes; sábado; domingo ¿Cuánto cuesta alquilar una pista de tenis para media hora; una hora; medio día; un día? Cuatro mil; cien mil; un millón de pesetas. una bicicleta; una tumbona; un monopatín	Monday; Tuesday; Wednesday; Thursday; Friday; Saturday; Sunday How much does it cost to hire a tennis court for half an hour; an hour; half a day; a day? 4,000; 100,000; 1,000,000 pesetas. a bicycle; a sun lounger; a skateboard
¿A qué hora abren las piscinas? ¿Cuándo cierran el polideportivo?	What time do they open the swimming pools? When do they close the sports centre?
¿ A qué hora sale (vuelve) el autocar? A la una; a las dos etc. . . . y (menos) cinco; diez; cuarto; viente; veinticinco . . . y media . . . de la mañana/tarde/noche	What time does the coach leave (come back)? At 1 o'clock; at 2 o'clock etc. five; ten; a quarter; twenty; twenty five past (to) half past in the morning/afternoon (evening)/at night
Deme cuatro billetes/entradas por favor.	Give me 4 tickets, please.

Objetivo 3: **hablar de tus vacaciones**	Objective 3: **talk about your holidays**
¿Dónde pasó usted sus vacaciones el verano pasado? Fui a las Islas Canarias. ¿Dónde se quedó usted? Alquilamos un apartamento; una caravana. Me quedé/nos quedamos en un hotel; un camping.	Where did you spend your holidays last summer? I went to the Canary Islands. Where did you stay? We rented a flat; a caravan I/we stayed in a hotel; on a campsite.
comí/comimos en un restaurante; jugué/jugamos en la playa; di/dimos un paseo; tomé/tomamos el sol; saqué/sacamos fotos; vi/vimos muchas cosas; visité/visitamos varios sitios interesantes; fui/fuimos de excursión	I/we ate in a restaurant; I/we played on the beach; I/we went for a stroll; I/we sunbathed; I/we took some photographs; I/we saw lots of things; I/we visited several interesting places; I/we went on a trip.

Unidad 4

Relaciones personales y actividades sociales

En esta unidad vas a aprender a:

- recibir a la gente y presentarte
- saludar a la gente y preguntar cómo está
- pedir permiso, dar las gracias y disculparte
- hablar de tus problemas y dificultades

In this unit you are going to learn to:

- welcome people and introduce yourself
- greet people and ask how they are
- ask permission, give thanks and apologise
- talk about your problems and difficulties

Objetivo 1: **recibir a la gente y presentarte**

1 Escucha la conversación. ¿En qué apartamento están el Sr Gil y su familia?

¿? p145 demonstrative pronouns ¿?

– Hola, señor. Bienvenido a El Capistrano.
= Gracias. Soy el señor Gil.
– Mucho gusto, señor Gil. Un momento, por favor. Ah, sí. Usted y su familia están en el apartamento 49. Carlos va a acompañarlos.
= Muy amable.
– Carlos, por favor. **Éste es el señor Gil**. Está con su familia en el apartamento 49. ¿Quiere acompañarlos, por favor?
≠ Por supuesto. **Encantado de conocerlo**, señor Gil.
= Muchas gracias. Igualmente.
≠ Le deseo unas felices vacaciones. ¿Quieren venir conmigo, por favor?
= De acuerdo. ¡Adelante!

encantado de conocerlo/a	delighted to meet you
encantada de conocerlo/a	delighted to meet you
encantado/a de conocerlos/as	delighted to meet you (plural)
mucho gusto	pleased to meet you
el gusto es mío	the pleasure's mine

éste es el señor Gil	this is Mr Gil
ésta es la señora Gil	this is Mrs Gil
éstos son sus hijos	these are their sons
éstas son mis hijas	these are my daughters

Un poco de cultura

When Spanish people meet each other it is customary to shake hands. Family members and close friends often kiss each other on the cheek.

2 Empareja cada conversación con la foto correcta.
Por ejemplo: **1–C**

A

B

C

D

E

3 **a** En recepción. Completa estas conversaciones.

a) A – Hola, señor. Bienvenid[redacted] a El Capistrano.
B – Gracias. Soy [redacted] señor Tornero.
A – Encantado de cono[redacted], señor Tornero. Éste es su apartamento, el 27.

b) A – Buenos días. S[redacted] el señor Harmer de Leeds, Inglaterra, y ésta es la señora Harmer.
B – Bienvenid[redacted], señores. Carlos, quiere acompañarlos al apartamento 63, por favor.

c) A – Buenas tardes, señorita. Bienvenid[redacted] a El Capistrano.
B – Gracias. Soy Alicia Tortosa.
A – Mucho gu[redacted], señorita Tortosa.
B – El gu[redacted] es mío.
A – Bueno, usted está en [redacted] apartamento 12, señorita.
B – De acuerdo.

d) A – Hola, buenas tardes. Soy la señora Robledo.
B – Buenas tardes, señora. Me llamo Gonzalo. Encan[redacted] de conocerla y bienvenid[redacted] a El Capistrano. Está usted en el apartamento 35.
A – De acuerdo. Muchas gracias.

b Ahora practica las conversaciones con tu pareja.

Objetivo 2: **saludar a la gente y preguntar cómo está**

1 **a** Escucha y lee la conversación.

– **Hola. ¿Qué tal?**
= ¡**Fatal**!
– ¿Qué pasa?
= Hoy es mi cumpleaños y no he recibido una tarjeta.
– ¡Ay! **¡Qué lástima!** Bueno, ¡**feliz cumpleaños**!
= Gracias. Y tú, ¿qué tal estás?
– Muy bien, gracias.
= Bueno, me alegro.

así así	so so
muy contento/a	very happy
fatal	terrible
fenomenal	great
no (muy) bien	not (very) well
regular	fine/OK

feliz aniversario	happy anniversary
feliz cumpleaños	happy birthday
feliz Navidad	happy Christmas
feliz santo	happy saint's day

Hola	Hello
¿Qué hay?	What's new?
¿Qué tal?	How's things?
¿Qué pasa?	What's the matter?
¿Cómo está usted?	How are you? (formal)
¿Cómo estás hoy?	How are you today? (informal)

¡Qué bien!	Great!
¡Qué lástima!	What a shame!
¡Qué pena!	What a pity!
Lo siento (mucho)	I'm (very) sorry
Me alegro	I'm delighted

Un poco de cultura

Spanish people celebrate their Saint's Day more than their birthday. For example 19 March is St Joseph's Day (Día de San José). This is also Father's Day in Spain.

b Ahora practica la conversación con tu pareja.

2 **a** ¿Qué tal están? Empareja cada conversación con la imagen correcta.

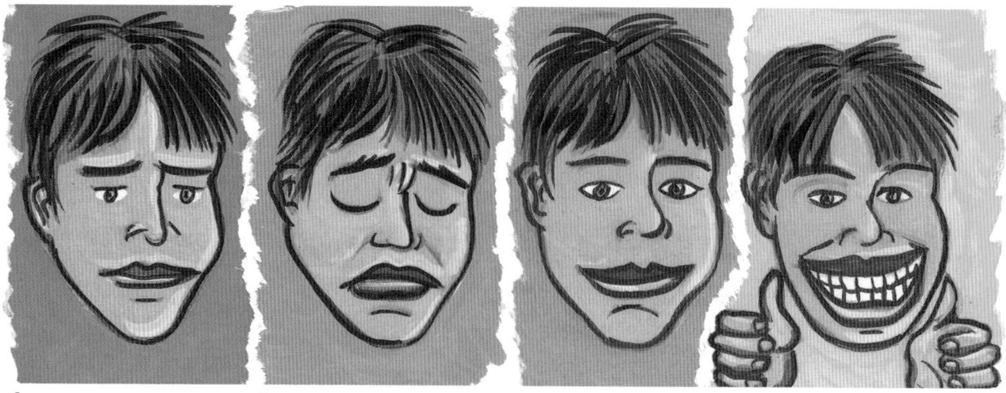

A B C D

b Escucha otra vez. Primero sólo repite una conversación si la persona está contenta. Luego repite si la persona no está contenta.

3 Mira a seis compañeros de clase. ¿Están contentos o no? Primero, anota lo que piensas. Luego pregúntales qué tal están y compara su respuesta con tu impresión original.

Bien.

¿Cómo estás?

¿Qué hay?

¿Qué tal?

¡Fatal!

Así así.

4 Escribe un poema. Usa estas frases. Empieza con esta frase:
Hola, Pedro, ¿qué tal estás?

¿? p145 his and her

Así así. Regular, regular.

Pues no muy bien, ¡fatal! ¡fatal!

Pues yo, María, fenomenal, gracias.

¡Claro que sí! ¡Hoy es su santo!

Y tu hermano Simón ¿qué tal?

Y ¿cómo está tu hermana Pilar?

Y tu padre ¿está contento?

Hola, Pedro, ¿qué tal estás?

Objetivo 3: **pedir permiso, dar las gracias y disculparte**

1 **a** Escucha la conversación. ¿Cuál es el problema con el apartamento 49?

¿? p146 tener que ¿?

– Pase, María Elena. Siéntese por favor.
= Buenos días, señor López.
– Buenos días. ¿Qué tal está?
= Muy bien, **gracias**. ¿Y usted?
– Bueno, no estoy muy contento. Tenemos un pequeño problema.
= ¿De verdad? ¿Qué pasa?
– ¿Conoce al señor Gil?
= Sí, llegó **ayer**.
– Dice que su apartamento estaba sucio cuando llegó.
= ¡Ay! **Lo siento** mucho.
– Vale. Pues tiene que ir ahora mismo al apartamento 49 para **arreglarlo**.
= Sí, por supuesto. **Perdón**. ¿**Puedo ir** ahora mismo?
– Sí, y tiene que **disculparse** también.
= De acuerdo, señor.

anoche	last night
anteayer	the day before yesterday
ayer	yesterday
ayer por la mañana	yesterday morning
ayer por la tarde	yesterday afternoon/evening
esta mañana	this morning
esta tarde	this afternoon / evening
el sábado pasado	last Saturday
la semana pasada	last week

¿Puedo. . .?	Can I . . .?
arreglar	(to) put right/arrange
hablar	(to) speak
ir	(to) go
llamar	(to) call

disculparse	to apologise
discúlpame	forgive me (informal)
discúlpeme	forgive me (formal)
perdón	excuse me
lo siento	I'm sorry

Muy amable	How kind.
(Muchas) gracias	Thank you (very much)

b Imagina que eres María Elena. Escucha la conversación otra vez y sólo repite su parte.

2 ¿Cómo reacciona la gente? Empareja las frases.

¿? p146 poder ¿?

Por ejemplo:
– *¿Puedo ir a la piscina?*
– *No. Está cerrada ahora. Abren a las cuatro.*

– ¿Puedo ir a la piscina?

– Muchas gracias. Muy amable.

– ¿Puedo hablar con el señor Sánchez?

– Le deseo unas felices vacaciones.

– Lo siento. No está aquí ahora.

– No. Está cerrada ahora. Abren a las cuatro.

– No estoy muy contenta. Mi apartamento está sucio.

– Discúlpeme, señora. ¿Qué número es?

3 Escucha las conversaciones. ¿Qué hace cada persona? ¿Pide permiso, da las gracias o se disculpa?

María
Juan
Alberto
Susana
Virginia
Mateo

Por ejemplo:

Pide permiso	Da las gracias	Se disculpa
Juan		

4 En compañía. Mira las fotos. Escribe la frase que falta y luego practica cada diálogo con tu pareja.

Lo siento. No está ahora.
Hola, Rosa. Feliz cumpleaños.
Este apartamento está muy sucio.

Objetivo 4: **hablar de tus problemas y dificultades**

1 Hay un problema. Escucha las conversaciones. ¿Por qué no pueden salir con sus amigos?

p146 ¿? querer ¿?

a)

– ¿Qué quieres hacer el lunes por la tarde? Yo voy a la bolera. ¿Quieres ir **conmigo**?
= Pues, lo siento. No puedo.
– ¿Por qué no?
= Voy a la piscina con Paco.
– Y por la noche, ¿qué haces?
= ¿Por la noche? Nada.
– Bueno, ¿vamos a la bolera por la noche, entonces?
= De acuerdo. Gracias.

b)

– ¿Quieres salir **con nosotros** esta tarde?
= ¿Adónde vais?
– Pues, vamos al parque de atracciones.
= Ay, ¡qué lástima! No puedo.
– ¿Por qué no?
= Porque mis padres van allí mañana y voy **con ellos**.
– Bueno. No pasa nada.

conmigo	with me	con nosotros	with us
contigo	with you (informal)	con vosotros	with you
con él	with him	con ellos/as	with them
con ella	with her	con ustedes	with you (formal)
con usted	with you (formal)		

2 En compañía. Quieres salir el fin de semana con tu amigo/a.

Persona A: Con la ayuda de la información en tu agenda, pregunta a tu pareja si quiere salir contigo.

Persona B: Con la ayuda de la información en tu agenda, responde a las preguntas de tu pareja, e intenta hacer planes para salir. Si no puedes ir, explica por qué no.

Por ejemplo:

A – ¿Qué quieres hacer el sábado por la mañana? Yo voy al polideportivo con mi hermana. ¿Quieres ir con nosotros?

B – Lo siento. No puedo. Voy a la playa con mi hermano.

A

sábado
mañana – polideportivo con hermana
tarde – nada
noche – sala de fiestas con amigos

domingo
mañana – nada
tarde – piscina con Marta
noche – cine

B

sábado
mañana – playa con hermano
tarde – nada
noche – nada

domingo
mañana – museo con padres
tarde – bolera
noche – discoteca con Ernesto

3 **a** Algunos jóvenes escriben a una revista para buscar una solución a sus problemas. ¿Tienen los mismos problemas que tú? En tu opinión, ¿qué puede hacer cada persona?

1

Me gusta salir con mis amigos. Quiero ir a la discoteca con ellos, pero mis padres no me dejan, dicen que soy demasiado joven. Yo creo que no. Tengo catorce años. ¿Qué puedo hacer?

2

Hola. Tengo 16 años. Me gusta mucho la música, pero nunca tengo dinero para comprar CDs. Mis padres sólo me dan tres mil pesetas a la semana y las gasto en tabaco y revistas. Estoy muy enfadado. ¿Qué me aconsejas?

3

¿Qué puedo hacer? Vivo con mi familia en un apartamento en Madrid. Tengo que compartir un dormitorio con mi hermano pequeño y no me gusta. Yo tengo diecisiete años y él sólo tiene doce. Siempre quiere jugar con el ordenador cuando yo quiero usarlo para mis estudios. Ayúdame, por favor.

4

Me gusta mucho el fútbol. El sábado juego en un equipo con mis amigos, y el domingo siempre voy a ver un partido con ellos. Mi novia no está contenta. Ella puede salir con sus amigas si quiere y yo no digo nada.

aconsejar	to advise
ayudar	to help
compartir	to share
creer	to believe
dejar	to let, allow
demasiado	too
un dormitorio	bedroom
enfadado/a	angry
novia	girlfriend
nunca	never
siempre	always

b Aquí tienes las respuestas a los problemas de los jóvenes españoles. Empareja cada consejo con el problema original.

A

Bueno. Nunca es fácil para dos hermanos, sobre todo si uno es mucho más joven que el otro. ¿No puedes organizar un horario para tus estudios cuando tu hermano no está? Siempre es importante tener un poco de paciencia.

B

Los padres siempre están preocupados. Es natural. Si tienes un hermano o una hermana mayor, ¿no podéis ir juntos? Sobre todo es importante hablar con tus padres tranquilamente y no discutir. ¡Suerte!

C

Cuando eres joven es importante tener muchos amigos y salir con ellos. Pregúntale a tu novia si quiere ir también al estadio el domingo. Nunca sabes. ¡A lo mejor le gusta la idea!

D

¡Hombre! ¡Lo quieres todo! Si no tienes bastante con eso sólo hay dos soluciones – buscar un trabajo o dejar de fumar.

bastante	enough
buscar	to look for
dejar de	to stop
discutir	to argue
fumar	to smoke
juntos	together
A lo mejor. . .	Perhaps. . .
preocupado	worried
¡Suerte!	Good luck!

4 Te toca a tí. Con la ayuda de estos apuntes, escribe una nota a la revista española para explicar tu problema y pedir ayuda.

pelo verde – 15 años – padres enfadados

cine – sólo 500 pesetas a la semana – muy difícil

yo 15 años – novio 20 años – padres preocupados

Para leer

1 ¿Qué dicen estas personas? Empareja cada imagen con la frase que indica la reacción correcta.

Encantada. **¡Qué bien!** **Estoy muy enfadado.** **¡Qué lástima!** **¡Feliz Navidad!** **No estoy muy contenta.** **¡Fenomenal!** **¡Feliz cumpleaños!**

¡Enhorabuena! Ahora sabes cómo. . .	Congratulations! Now you know how to. . .
Objetivo 1: **recibir a la gente y presentarte**	Objective 1: **welcome people and introduce yourself**
Encantado/encantada de conocerle.	Pleased to meet you. (talking to one person)
Encantado/encantada de conocerles.	Pleased to meet you. (talking to more than one person)
Bienvenido.	Welcome.
Mucho gusto.	It's a pleasure.
El gusto es mío.	The pleasure's mine.
Soy el señor Gil.	I am Mr Gil.
Objetivo 2: **saludar a la gente y preguntar cómo está**	Objective 2: **greet people and ask how they are**
Hola.	Hello.
¿Qué hay?	What's new?
¿Qué tal?	How's things?
¿Qué pasa?	What's the matter?
¿Cómo está usted?	How are you? (formal)
¿Cómo estás?	How are you? (informal)
¡Qué bien!	Excellent!
Me alegro.	I'm delighted.
¡Qué lástima!	What a shame!
¡Qué pena!	What a pity!
Lo siento (mucho).	I'm (very) sorry.
Fenomenal; muy bien; así así; fatal; no muy bien	Brilliant; very good; so-so; awful; not very good
Feliz aniversario; cumpleaños; Navidad; santo	Happy anniversary; birthday; Christmas; Saint's Day
Objetivo 3: **pedir permiso, dar las gracias y disculparte**	Objective 3: **ask permission, give thanks and apologise**
¿Puedo ir. . . /arreglar. . . /llamar . . . /hablar . . .?	Can I go . . . /put right/arrange . . . /call . . . /talk . . . ?
anoche; anteayer; ayer por la mañana/tarde; esta mañana; el sábado pasado; la semana pasada	last night; the day before yesterday; yesterday morning/afternoon; this morning; last Saturday; last week
muy amable	you're very kind
perdón	sorry
discúlpame/discúlpeme	forgive me (informal)/forgive me (formal)
Objetivo 4: **hablar de tus problemas y dificultades**	Objective 4: **talk about your problems and difficulties**
¿Quieres ir a la bolera conmigo?	Do you want to go to the bowling alley with me?
¿Quieres salir con nosotros?	Do you want to go out with us?
No puedo.	I can't.
Voy a la piscina con Paco.	I'm going to the swimming pool with Paco.
Mis padres no me dejan.	My parents won't let me.
Dicen que soy demasiado joven.	They say that I'm too young.
Nunca tengo dinero.	I never have any money.
Estoy muy enfadado/a.	I'm very angry.
Tengo que compartir un dormitorio.	I have to share a bedroom.
Mi novia no está contenta.	My girlfriend isn't happy.
Mi novio siempre está contento.	My boyfriend is always happy.
Mis padres están preocupados.	My parents are worried.

Unidad 5 Invitaciones y arreglos

En esta unidad vas a aprender a:	In this unit you are going to learn to:
• dar, aceptar y rechazar una invitación	• offer, accept and decline an invitation
• quedar en hacer algo	• make arrangements to do something

Objetivo 1: **dar, aceptar y rechazar una invitación**

1 Dos monitores van a salir. ¿Adónde? Escucha la conversación y repítela.

p147 definite articles

– ¿Trabajas **esta noche**?
= No, hoy no trabajo.
– ¿Quieres salir?
= Sí, con mucho gusto.
– ¿Vamos al cine?
= No, **lo siento**. Fui al cine anoche.
– ¿Qué quieres hacer, entonces?
= ¿Por qué no vamos a **la discoteca**?
– ¡**De acuerdo**! ¡**Buena idea**!
¡Vamos a la discoteca!

Buena idea	Good idea
De acuerdo	All right
Lo siento	I'm sorry

el campo	countryside
una fiesta	party
el museo (de arte)	(art) museum
el parque de atracciones	fun fair
la pista de hielo	ice rink
la playa	beach
la plaza de toros	bull ring

esta noche	tonight	mañana por la mañana	tomorrow morning
esta tarde	this afternoon	mañana por la noche	tomorrow evening
hoy	today	mañana por la tarde	tomorrow afternoon
el lunes que viene	next Monday	más tarde	later
mañana	tomorrow		

2 **a** ¿Adónde van las personas? Escucha las conversaciones y empareja las personas con las frases correctas.
Por ejemplo: **Dionisio – al zoo – más tarde**

p147 al/a la

Dionisio	**al polideportivo**	**el lunes que viene**
Clara	**al zoo**	**esta noche**
Gloria	**al museo de arte**	**más tarde**
Eduardo	**al teatro**	**mañana**
Teresa	**a la plaza de toros**	**mañana por la mañana**
Victor	**a un concierto de flamenco**	**mañana por la tarde**
Marta	**al parque de atracciones**	**mañana por la noche**

b En compañia. Ahora con tu pareja, pregunta por turnos qué hace cada persona. Contesta con la ayuda de los apuntes.
Por ejemplo: A – **¿Qué hace Dionisio?**
B – **Dionisio va al zoo más tarde.**

3 Trabaja con tu pareja para contestar estas preguntas. Primero acepta, y luego rechaza la invitación.

¿Vamos al club esta noche?

¿Vamos a ir a la playa mañana?

¿Vamos al cine mañana por la noche?

¿Quieres jugar al baloncesto mañana por la mañana?

¿Quieres montar a caballo mañana por la mañana?

¿Quieres ir a la discoteca más tarde?

¿Vamos a ir al parque de atracciones el lunes que viene?

¿Quieres jugar al baloncesto mañana por la mañana?

De acuerdo. Vamos a jugar al baloncesto mañana por la mañana.

¿Quieres ir a la discoteca más tarde?

No, lo siento, no puedo bailar.

 4 a Escribe las frases en el orden correcto para continuar la conversación.

– ¿Vamos al teatro esta noche?

– Sí. De acuerdo. Buena idea. Vamos <u>a la discoteca</u>.

– ¿Quieres ir <u>al cine</u>, entonces?

– Bueno. ¿Qué quieres hacer, entonces? ¿Quieres ir <u>a la discoteca</u>?

– Pues no, no me gusta nada <u>el cine</u>.

– <u>Al teatro</u>, no. Fui <u>al teatro</u> anoche con Paula.

 b Ahora escucha la conversación y practícala con tu pareja. Luego cambia de turno y practícala otra vez.

 c Cambia las frases subrayadas en la conversación para hacer una nueva conversación. Apréndela y preséntala al grupo con tu pareja.

¡Vamos a la playa, ah, ahah, ahah!

5 **a** Escucha estas conversaciones. Indica para dónde es la invitación y anota por qué la persona no puede ir.

Por ejemplo: **1–C – no le gustan los toros.**

A

B

C

D

E

6 ¿Adónde vamos? Descifra los nombres de cada sitio y escribe la frase completa. ¿Cuántas puedes escribir en dos minutos? ¡Intenta mejorarlo!

Voy al	Vamos a la	¿Quieres ir al
seuom ozo otreta opvoiltirdope	aeoictcsd nacipsi yalap realob	nice? equrpa?

7 Completa estas conversaciones.

A

– ¿Vamos al cine?
= No, lo sie★★★. Fui al cine an★★★★. ¿Qui★★★★ ir a la discoteca?
– ¡Fenomenal! ★★★★★ a la discot ★★★.

B

– ¿Quieres ★★ al c★★★o el sábado que v★★★★?
= No, María. Pref★★★★ ir al partido de fútbol.
– ¡Pues a mí no me g★★★★ nada el fútbol!
= Mira, ¿por qué no vamos al te★★★★ mañana por la n★★★★?
– De acu★★★★. Vamos allí, entonces.

8 **a** ¿Invitan, aceptan o rechazan?
Escucha las frases en la cinta. Primero repite una frase si alguien da una invitación.

b Ahora escucha otra vez y repite si alguien acepta la invitación.

c Finalmente escucha y repite si alguien rechaza la invitación.

9 En compañía.

¡A jugar! Escribe los números 1 a 12 en unos trozos de papel y mete los números de 1–6 en un sobre y 7–12 en otro sobre.

Persona A: Saca un número de 1 a 6 e invita a tu pareja al lugar que corresponde.

Persona B: Saca un número de 7 a 12 y acepta o rechaza la invitación de tu pareja con una razón.

Continúa con el juego hasta llegar a un acuerdo.

Por ejemplo:

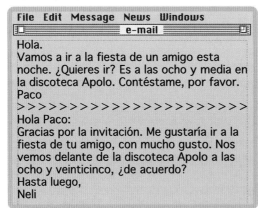

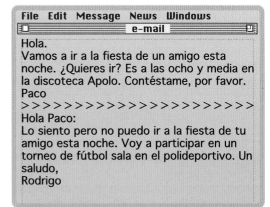

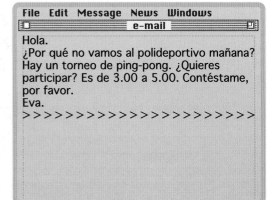

INVITACIONES		ACEPTAR O RECHAZAR	
1	**Bolera esta noche**	7	**Rechazar – anoche**
2	**Museo el sábado que viene**	8	**Aceptar – con mucho gusto**
3	**Polideportivo más tarde**	9	**Rechazar – una fiesta**
4	**Teatro mañana por la noche**	10	**Aceptar – de acuerdo**
5	**Discoteca este fin de semana**	11	**Rechazar – esta noche**
6	**Cine mañana por la tarde**	12	**Aceptar – con mucho gusto**

10 Lee este mensaje que un chico español manda a sus amigos. Luego lee las dos respuestas que recibe. ¿Quién acepta la invitación? ¿Quién la rechaza y por qué?

File Edit Message News Windows

e-mail

Hola.
Vamos a ir a la fiesta de un amigo esta noche. ¿Quieres ir? Es a las ocho y media en la discoteca Apolo. Contéstame, por favor.
Paco
>>>>>>>>>>>>>>>>>>>>>>>
Hola Paco:
Gracias por la invitación. Me gustaría ir a la fiesta de tu amigo, con mucho gusto. Nos vemos delante de la discoteca Apolo a las ocho y veinticinco, ¿de acuerdo?
Hasta luego,
Neli

File Edit Message News Windows

e-mail

Hola.
Vamos a ir a la fiesta de un amigo esta noche. ¿Quieres ir? Es a las ocho y media en la discoteca Apolo. Contéstame, por favor.
Paco
>>>>>>>>>>>>>>>>>>>>>>>
Hola Paco:
Lo siento pero no puedo ir a la fiesta de tu amigo esta noche. Voy a participar en un torneo de fútbol sala en el polideportivo. Un saludo,
Rodrigo

11

a Escribe una breve respuesta a este mensaje para aceptar la invitación.

b Cambias de opinión – ¡ahora no quieres ir! Rechaza la invitación y explica por qué.

File Edit Message News Windows

e-mail

Hola.
¿Por qué no vamos al polideportivo mañana? Hay un torneo de ping-pong. ¿Quieres participar? Es de 3.00 a 5.00. Contéstame, por favor.
Eva.
>>>>>>>>>>>>>>>>>>>>>>>

Objetivo 2: **quedar en hacer algo**

1 Escucha la conversación y repítela. Dos amigos hablan de su fin de semana. ¿Qué van a hacer?

– ¿Quieres salir esta tarde?
= Pues, no sé. ¿Qué quieres hacer tú?
– ¿Vamos a ver este **partido de fútbol**?
= ¡Ay, no! Lo siento, pero no me gusta nada el fútbol.
– ¿Qué ponen en la tele? ¿Hay **un programa** bueno?
= No sé. Vamos a mirar en **el periódico**. ¿Vamos a ver esta **película**?
– ¿Qué tipo de **película** es?
= Es una **película de terror**.
– ¡Buena idea! Me gustan mucho las **películas de terror**.

la cartelera	entertainment guide
el periódico	newspaper
la revista	magazine

un concierto de música	concert
una corrida	bull fight
un espectáculo	show
el flamenco	flamenco
un partido de pelota	game of pelota

la ciencia ficción	science fiction
una comedia	comedy
unos dibujos (animados)	cartoons
un programa de noticias	news programme
una película (de terror)	(horror) film
un programa	programme
una serie	series
una telenovela	soap opera
el tiempo	weather forecast

2 En compañía.
Mira el organigrama, sigue las flechas y escucha la conversación. Luego usa el organigrama para hacer unas conversaciones con tu pareja.

p147 demonstrative adjectives

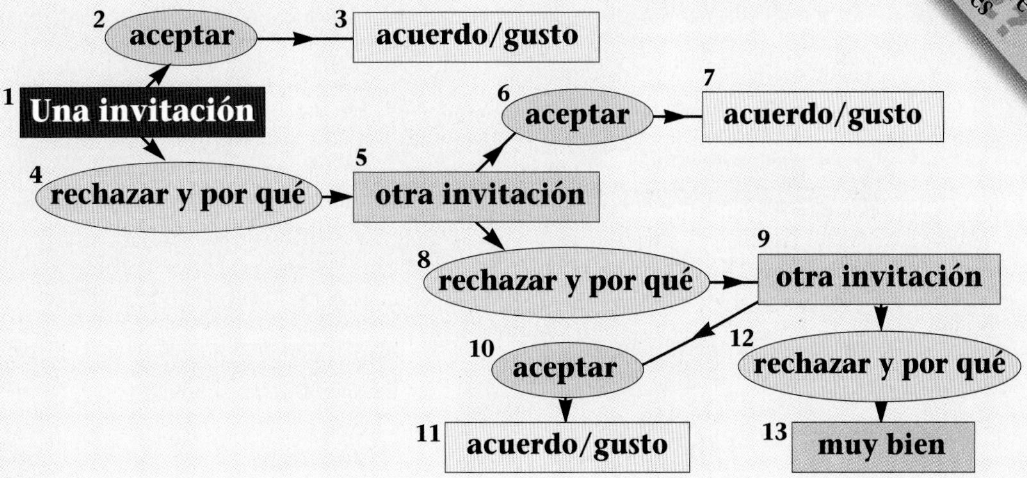

3 Mira estas fotos y lee lo que piensa cada persona. Imagina las conversaciones entre los jóvenes y practícalas con tu pareja.

Monica es una chica muy guapa y simpática. Quiero salir con ella.
Quiero invitarle a un concierto esta noche, pero no sé si va a aceptar.
Alicia me gusta mucho. Voy a preguntarle si quiere ir al cine este fin de semana.
Simón no está mal, pero no sé si quie salir con él. El sábad voy a ir a la discotec con mis amigas.

4 En compañía. Tu amigo/a español/a está en tu casa y quiere saber qué ponen en la tele. Tienes que explicar qué ponen y qué tipo de programa es. Primero lee y escucha el ejemplo y practícalo con tu pareja. Luego haz otras conversaciones similares.

Por ejemplo:

– ¿Qué ponen en la tele esta noche?

= Pues, hay **'The Simpsons'** a las seis y cuarto.

– ¿**'The Simpsons'**? ¿Qué tipo de programa es?

= Pues es **un programa de dibujos animados** muy bueno.

– Ah, muy bien. De acuerdo. Me gustan mucho **los dibujos animados**.

5 **a** Juan llama a María para invitarla a salir. Escucha la conversación.

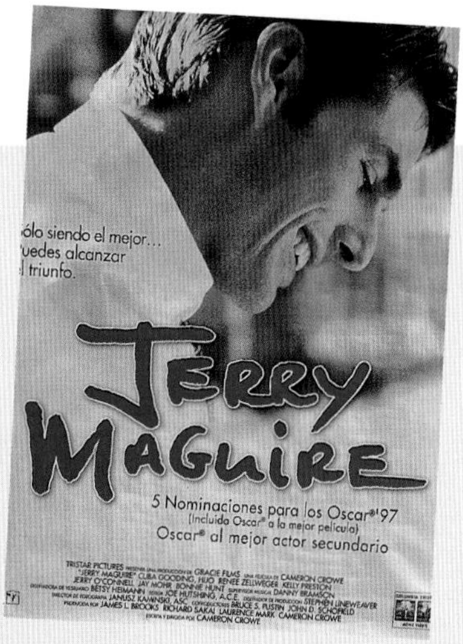

– Hola, María. Soy Juan. ¿Vamos a salir esta tarde?
= Sí, ¡estupendo! ¿Adónde vamos?
– Pues, hay un concierto de Beethoven en el Palacio de la Música. ¿Quieres ir?
= ¡Ay, no! No me gusta nada la música clásica.
– Entonces, ¿por qué no vamos al cine a ver la nueva película de Tom Cruise?
= ¡Eso, sí! ¡Con mucho gusto! ¿A qué hora nos vamos a encontrar?
– ¿A las siete?
= Es un poco pronto. ¿A qué hora empieza la película?
– Empieza a las nueve.
= Entonces, ¿por qué no nos vemos a las ocho?
– De acuerdo. ¿Dónde nos vemos?
= En **la cafetería**, **enfrente del** cine.
– Muy bien. Hasta luego.

el banco	bank
la biblioteca	library
la estación de autobuses	bus station
el estadio	stadium
el puente	bridge
el río	river

delante de	in front of
detrás de	behind
a la derecha de	to the right of
a la izquierda de	to the left of
en	in/on
enfrente de	opposite
entre	between
al lado de	next to

b Escucha la conversación otra vez y sólo repite las preguntas.

6 En compañía.
Trabaja por turnos con tu pareja para contestar las preguntas '¿Dónde nos vemos?' y '¿A qué hora?'. Indica una imagen y haz las preguntas.

Por ejemplo:

A

– ¿Dónde nos vemos?
= Pues, ¿delante del banco?
– De acuerdo. Y ¿a qué hora?
= A las cuatro y cuarto.
– Muy bien.

A

B C D

7 **a** ¿Qué van a hacer? Escucha las conversaciones y para cada una, escribe adónde van, a qué hora van a encontrarse y dónde van a verse.

Por ejemplo: **1 corrida de toros – a las cuatro y media – delante de la biblioteca**.

b Ahora, con la ayuda de estas imágenes, escribe dos conversaciones similares y practícalas con tu pareja. Para la segunda conversación cambia de turno.

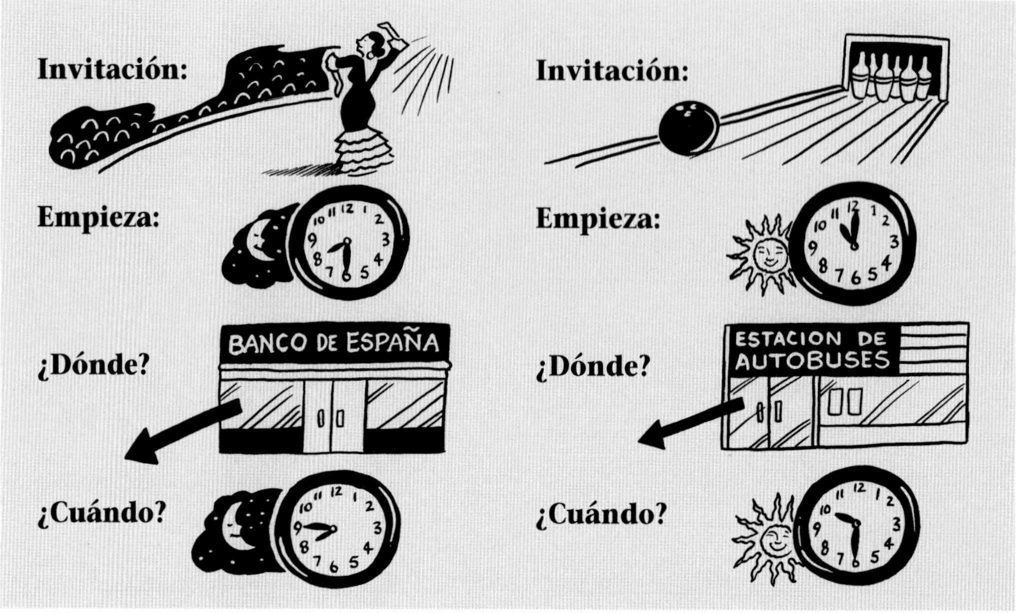

8 **a** ¡Vamos a salir! Completa esta conversación con la ayuda de estas imagenes.

– ¿Quieres salir esta tarde?

= Sí, ¿adónde vamos?

– 

= No, no quiero ir a la piscina, prefiero .

– Vale. ¿A qué hora vamos a salir?

= .

– De acuerdo. ¿Dónde nos vemos?

= .

– No, prefiero .

= Vale, hasta luego, entonces.

b En compañía. Ahora, por turnos, practica la conversación con tu pareja.

c Tú quieres ir a ver un partido de fútbol este domingo pero a tu amigo no le gusta el deporte. Prefiere ir al cine o al teatro. Escribe una conversación para llegar a un acuerdo con él sobre adónde ir, a qué hora vais a encontraros y dónde vais a veros.

Para leer

1 Lee este resumen de los programas de televisión.

ANTENA 3

6.50 Tele-N
7.25 La llamada del Oeste. Serie.
7.50 Club Megatrix.
11.50 Series. *Un robot en casa* (11.05), *La tribu de los Brady* (11.35).
12.00 Top 20.
13.00 Series. *Bonanza* (13.00), *Primos Lejanos* (14.30).
15.00 Noticias.
15.30 Supercine del domingo. *Flying.* Robin vive con su madre y con el nuevo marido de ésta, con el que no se lleva muy bien. La ilusión de la joven es volver a formar parte del equipo de gimnasia, que abandonó a raíz de un accidente en el que su padre perdió la vida. La vuelta es dura y tendrá que superar también la muerte de su madre.
17.20 Cine. *Mystic Pizza.*
19.10 Picket Fences. Serie.

20.05 Chicago Hope. Serie.
21.00 Noticias. Con Rosa María Mateo.
21.30 La gala 95.
1.00 Cine de madrugada. *Atracción fatal.* Un hombre y una mujer se conocen al chocar fortuitamente sus coches. Los dos se sienten atraídos, pero será ella la que decida dar el primer paso en un juego cuyo objetivo es materializar sus fantasías. La rivalidad que nece entre los dos amantes hace el juego cada vez más peligroso, hasta conducirles a un duelo mortal.

TELE 5

6.20 Avance de programación.
6.35 Series. *Webster* (6.35), *Skippy* (7.00).
8.00 Dibujos animados. *Rubrick, el cubo mágico. Leoncio el león y Tristón. Johnny y sus amigos. Campamento Candy. Sonic. Los trotamundos de Harlem. Mi monstruito. Las nuevas aventuras de He-Man. Doble dragón.*
11.24 La casa de la pradera. Serie.
12.20 Matinal de cine. *Maciste en el infierno.*
14.15 Las noticias.
14.45 Fórmula 1.
17.00 Operación Trueno. Serie. *Lecciones mortales* (primera y segunda parte).
18.30 Grace al rojo vivo. Serie.
19.00 Las noticias.
19.10 Cine. *Arde Alabama.* Rich es un chico con problemas de crecimiento, tiene los pies planos y sufre de ataques de asma. Pero a pesar de todo esto su gran ilusión es jugar al fútbol.

21.30 Noche de acción. *Delta Force.* Un avión de la TWA es secuestrado en Atenas por un grupo terrorista. Para rescatar el avión y sus pasajeros se llama a Delta Force, una fuerza especial compuesta por hombres especialmente entrenados.
23.50 Cine. *Dispuesta a matar.* Vicky es una policía encargada de un importante caso de drogas en Los Angeles junto a su novio, también policía. Después de un peligroso intentona de detener a los cabecillas, el capitán de policía le aparta del caso por miedo a que Vicky pierda la vida.
1.35 Las noticias.
1.40 Madrugada de cine. *A simple vista.* En un gran edificio de apartamentos de Chicago se están produciendo una serie de asesinatos sobre los que la policía carece de pistas, fundamentalmente porque las víctimas – una muchacha, un anciano y un vigilante de seguridad – no tienen ningún nexo común.

CANAL +

8.15 Del 40 al 1.
9.05 Dibujos animados. *Sylvanian families.*
9.35 Teleserie. *Los chicos del mañana.*
10.00 Cine. *Chico de ciudad.*
11.30 Previo fútbol.
12.00 Fútbol español. Segunda División, Alavés – Villareal.
14.00 El gran musical.
14.30 Redacción. Noticias.
14.35 Plusvalía.
15.05 Especial Informativo.
16.00 Documental. *Los elefantes de Garamba.*
16.51 Cine. *Rústicos en Dinerolandia.*
18.21 Especial. *El juego más difícil del verano. 1995.*
18.30 Previo fútbol.
19.30 Fútbol. Liga española. Primera División, Compostela – Deportivo.

21.30 Redacción. Noticias.
22.00 Estreno Canal +. *Doble traición.* El realizador Carl Schenkel lleva a la pantalla este drama de Shelley Evansen sobre una mujer que huye de su pasado. Abandonar una familia y toda una vida no es fácil para Joanna Matthews, una mujer asustada que ha huido de su brutal marido, Bradley – un policía que no está dispuesto a separarse de ella y hará todo lo posible para recuperarla – para empezar de nuevo con una nueva identidad en Seattle. Joanna, que ahora se hace llamar Emma Doyle, intenta ajustarse a sus nuevas circunstancias y conoce a Sam, un amable fabricante de juguetes, fiel cliente del bar donde ella trabaja de camarera.
23.33 El tercer tiempo. Repaso a la actualidad fubolística del fin de semana.
2.05 Más deporte.

2 Te gusta el deporte. ¿Qué canal te parece más interesante? ¿Por qué?
Te gustan los dibujos animados. ¿Qué programa vas a ver hoy? ¿Por qué?
Te gustan las películas. ¿Qué película quieres ver? ¿Por qué?

Hablas con tu amigo español para decidir lo que vais a ver esta noche. Escribe la conversación.

¡Enhorabuena! Ahora sabes cómo. . .	Congratulations! Now you know how to. . .
Objetivo 1: **dar, aceptar y rechazar una invitación**	Objective 1: **offer, accept and decline an invitation**
¿Trabajas esta noche? No, hoy no trabajo. ¿Vamos a salir? Con mucho gusto. ¿Vamos al cine? Lo siento. Fui al cine anoche. No me gusta (nada). ¿Qué quieres hacer, entonces? ¿Por qué no vamos a la discoteca? ¡De acuerdo! ¡Buena idea!	Are you working tonight? No, I'm not working today. Shall we go out? I'd love to. Shall we go to the cinema? I'm sorry. I went to the cinema last night. I don't like it (at all). What do you want to do, then? Why don't we go to the discotheque? All right! Good idea!
una fiesta; el campo; el museo (de arte); el parque de atracciones; la pista de hielo; la playa; la plaza de toros	party; countryside; (art) museum; fun fair; ice rink; beach; bullring
mañana; esta noche; más tarde; el lunes/martes etc. que viene; la semana que viene; mañana por la mañana/por la tarde/por la noche	tomorrow; tonight; later; next Monday/Tuesday etc.; next week; tomorrow morning/afternoon/evening
Objetivo 2: **quedar en hacer algo**	Objective 2: **make arrangements to do something**
¿Quieres salir esta tarde?	Do you want to go out this afternoon?
¿Hay un programa bueno en la televisión? Vamos a mirar en el periódico/la revista/la cartelera. ¿Vamos a ver este partido de fútbol/esta película? No me gusta nada el fútbol. ¿Qué tipo de película es? Es una película de terror.	Is there a good programme on the television? Let's look in the newspaper/magazine/ entertainment guide. Shall we go and see this football match/film? I don't like football at all. What sort of film is it? It's a horror film.
una comedia; unos dibujos animados; una película de ciencia ficción; un programa de noticias; una serie; una telenovela; el tiempo	comedy; cartoons; science fiction film; news programme; series; soap opera; weather forecast
un concierto (de música); una corrida (de toros); un espectáculo; el flamenco; un partido de pelota	concert; bullfight; show; flamenco; game of pelota
¿Por qué no vamos al cine? ¿A qué hora nos vamos a encontrar? ¿A las siete? Es un poco pronto. ¿A qué hora empieza la película? Empieza a las nueve. ¿Dónde nos vemos? En la cafetería. Enfrente del cine. Delante/detrás del banco Al lado de la biblioteca. A la derecha/izquierda del puente. Entre el río y el estadio.	Why don't we go to the cinema? What time shall we meet? At 7 o'clock? That's a bit early. What time does the film start? It starts at 9 o'clock. Where shall we meet? In the café. Opposite the cinema. In front of/behind the bank. Next to the library. To the right/left of the bridge. Between the river and the stadium.

Unidad 6

Vamos al cine

En esta unidad vas a aprender a:	In this unit you are going to learn to:
• preguntar lo que ponen en el cine	• ask what's on at the cinema
• preguntar cuando algo empieza y termina	• ask when something starts and finishes
• sacar las entradas	• buy tickets
• dar tu opinión	• give your opinion

Objetivo 1: **preguntar lo que ponen en el cine**

1 Escucha la conversación. Dos personas hablan del cine. ¿Qué tipo de película le gusta al cliente?

– Hola.
= Hola, señor.
– ¿Sabe usted si hay un concierto bueno este fin de semana?
= Vamos a ver. . . . ¿qué tipo de música le interesa, la música clásica o la música popular?
– La música clásica, no. ¡Es muy aburrida!
= Lo siento, pero por aquí no hay ningún concierto de música popular el próximo fin de semana.
– ¡Qué lástima! ¿Qué ponen en el cine, entonces?
= Bueno, depende. ¿Qué tipo de película le gusta?
– Prefiero las **películas de aventuras**. ¡Son **emocionantes**!
= Pues, hay una buena película en el cine Odeón que parece **muy interesante**.
– Muy bien, gracias. Voy a ver ésa entonces.

¿Qué tipo de película?	What sort of film?
una película de aventuras	adventure film
una película cómica	comedy film
una película histórica	historical film
una película policíaca	detective film
una película romántica	romantic film
una película de terror	horror film
una película de ciencia ficción	science fiction film

divertido/a	entertaining
emocionante	exciting
fantástico/a	fantastic
gracioso/a	funny
estupendo/a	great

2 Escucha las conversaciones y empareja cada conversación con el cartel que corresponde.
Por ejemplo: **1–E**

3 **a** En tres minutos descifra estas películas y haz dos listas bajo estas categorías.

Me gustan las películas. . .	No me gustan las películas. . .

scamióc
sharitósic
de rrroet
rainmástco
de ravesatun
spoilaíacc

b Túrnate con tu pareja para contestar estas preguntas.

¿Qué tipo de película te gusta? **¿Qué tipo de película no te gusta?**

Por ejemplo:

– ¿Qué tipo de película te gusta?
= Me gustan mucho las películas policíacas. Son emocionantes.
– Ah, muy bien. Y, ¿qué tipo de película no te gusta?
= Bueno, no me gustan nada las películas históricas. Son muy aburridas.

Objetivo 2: **preguntar cuando algo empieza y termina**

1 **a** Escucha la conversación y repítela.

– Buenas tardes, señor. ¿Va a salir usted esta tarde?
= Sí, señorita, vamos **al teatro**.
– ¡**Qué bien**!
= Sí, pero no sabemos a qué hora empieza **la obra**. ¿Puede decirme usted a qué hora empieza?
– ¡Vamos a ver! Ah, sí, empieza a las nueve de la tarde.
= Gracias. ¿A qué hora termina?
– Termina sobre las once y media.
= Muchas gracias, señorita.
– De nada, señor. Espero que les guste.

una corrida	bullfight
una fiesta	party
un grupo	group
una obra (de teatro)	play
un partido	match
un programa	programme

el cine	cinema
el estadio	stadium
la plaza de toros	bullring
la sala de fiestas	nightclub
el teatro	theatre

qué bien	wonderful
qué buena idea	what a good idea

b Cambia las partes subrayadas en la conversación y escribe otra similar. ¿Cuántas conversaciones diferentes puedes escribir en diez minutos?

2 **a** Dos conversaciones mezcladas. ¿Puedes hacer dos conversaciones distintas de estas frases?

Persona A – **verde**
Persona B – **azul**

Sí, voy al teatro. **¿Van ustedes al teatro?** **A las ocho.**
Una obra de Valle Inclán. **¿Vienes?**
¿Vas a salir esta tarde? **Y ¿a qué hora termina?**
No, vamos al concierto. **Termina sobre las once.** **¿Qué ponen?**
¿A qué hora empieza? **Pues, sí. Me gustan mucho sus obras.**

b Ahora practica las conversaciones con tu pareja.

3 **a** En recepción. Copia y completa esta conversación con la ayuda de las imágenes.

– Hola, buenas tardes.
= Muy buenas. ¿Sabe usted a qué hora empieza la  esta tarde?
– ¡Vamos a ver! Sí, empieza .
= Gracias. Y ¿  ?
– .
= Muchas gracias.
– De nada, señor. Espero . Hasta luego.

b Ahora practica la conversación con tu pareja.

Objetivo 3: **sacar las entradas**

1 **a** En la taquilla. ¿Cuánto cuestan las entradas?

– ¿A qué sala vamos?
= A la tres, donde ponen la película de aventuras.
– De acuerdo. Perdone, señora. ¿Cuánto cuestan las entradas?
≠ ¿Quiere **butaca de patio** o **butaca de entresuelo**?
– Butaca de patio, por favor
≠ Pues, 500 pesetas.
– Muy bien. Deme cuatro, por favor.
≠ Aquí tiene. Son dos mil pesetas en total.

una butaca	cinema/theatre seat
un asiento	seat
. . . de entresuelo	. . . in the circle
. . . de patio	. . . in the stalls
la sala	screen

b Escucha la conversación otra vez y repítela.

2 ¿Qué entradas compran? Escucha las conversaciones e identifica las entradas que compran las personas.
Por ejemplo: **1-*C***

A

B

C

D

Objetivo 4: **dar tu opinión**

1 ¿Lo pasó bien el señor Latorre?

– Buenos días, señor Latorre. ¿Lo pasó bien anoche?
= Sí, fuimos al cine.
– ¿Qué tal estuvo la película?
= Pues, era una película de ciencia ficción y era muy **mala**.
– Ay, lo siento mucho.

Opiniones negativas	
demasiado. . .	too. . .
malo	bad
aburrido	boring
lento	slow
pésimo	awful
yo creo que. . .	I think that. . .

Opiniones positivas	
bueno	good
interesante	interesting
magnífico	wonderful
vale la pena	it's worth while
hay que verla	you must see it

2 **a** ¿Qué opinan estas personas? Copia las opiniones y rellena los espacios con una palabra de la lista.

No me gustan las películas de ciencia ficción. En mi opinión son ________.

A mí me gustan las películas ________. En mi opinión son ________.

Yo creo que las películas históricas son muy ________. Son demasiado ________.

El sábado pasado fui a ver una película de ________. No me gustó nada. Era muy ________.

La película en la televisión anoche era ________. Me gustan mucho las películas de ________.

mala
fantástica
aburridas
terror
pésimas
policíacas
emocionantes
aventuras
lentas

b ¿Y tú? Escribe unas frases para dar tu opinión sobre el tipo de película que te gusta o no te gusta.

3 Escucha las conversaciones. Primero sólo repite las opiniones positivas. Luego escucha otra vez y sólo repite las opiniones negativas.

4 **a** Unas respuestas modelo. Lee estas preguntas y respuestas y estudia el comentario.

Pregunta	Respuesta	Comentario
¿Adónde fuiste anoche?	**Fui** al cine **con mis amigos**.	The answer uses the verb in the past (preterite) tense and adds additional detail.
¿Qué tal estuvo la obra?	**Pues**, **era** una obra **muy buena**. **Me gustó** mucho. **Vale la pena verla**.	Typical Spanish pause at start of answer. It uses past tenses and expresses an opinion.
¿Lo pasaste bien ayer?	Sí, lo **pasé** muy bien. **Fui** al estadio a ver un partido de fútbol. **Era magnífico**. ¿**Te gusta el fútbol**?	This answer expands on a simple 'sí' or 'no' to give a range of information to interest the listener. It includes a number of past tenses as well as an opinion. The addition of a question at the end keeps the conversation going.
¿Vas a salir este fin de semana?	Sí. **Voy a salir** con mi hermana. **Vamos a ir** al cine a ver Star Wars. **Me gustan mucho** las películas de ciencia ficción. **Son emocionantes**.	This is another example of how to make an answer interesting by adding some detail. It refers to the future and expresses and explains personal preference and opinion.

b En compañía. Practica las preguntas y respuestas con tu pareja. Luego cambia de turno.

c Copia las preguntas y las respuestas, pero cambia las respuestas según tus circunstancias personales. Luego puedes practicarlas en clase.

5 Lee estos párrafos de una cartelera española. Tu amigo no habla español y quiere saber algo de cada película. Haz unos apuntes en inglés para ayudarle. Puedes usar el diccionario si quieres.

El Monstruo ★★

Roberto Benigni y Michel Blanc. Tras dieciocho ataques a mujeres el maníaco sigue suelto ante la impotencia de la policía. Vale la pena.

Mira quien habla ★★★

Una mujer jóven y madre de un hermoso bebé quiere encontrar al padre perfecto para éste. Muy graciosa.

Roberto es tu tío ★★★★★

Gran película cómica. Un francés viene a España y se hace millionario con una academia de idiomas en Gandía. ¡Magnífica!

El Golpe ★★★★

La vi por primera vez hace muchos años y me gustó muchísimo. La vi otra vez la semana pasada y todavía es buena, muy buena. Redford y Newman son dos grandes del cine americano.

Top Gun ★★★

Si te gusta Tom Cruise te va a gustar muchísimo esta película. Pilotos americanos y rusos luchando en las nubes; una verdadera aventura romántica. Muy emocionante.

1918 ★

Se trata de un tema muy serio, la guerra mundial de 1918, pero esta película, en blanco y negro, es aburrida y muy lenta. ¡Mejor jugar a las cartas con los amigos!

6 **a** Escucha esta conversación en la oficina de turismo. ¿Qué tipo de película recomienda el recepcionista?

– Buenas tardes, **señora**.
= Buenas tardes.
– ¿Puedo ayudarle?
= Sí, por favor. Quiero ir **al cine esta tarde**. ¿Qué ponen, por favor?
– Bueno, en el **cine Avenida** ponen **una película muy buena**. La vi anoche.
= ¿De qué trata **la película**?
– Trata de **una mujer que escucha una conversación telefónica y se da cuenta de que alguien quiere matarla**.
= ¡No quiero saber más! Me parece **una película estupenda**. ¿Cómo se titula?
– **'Terror en la noche.'**
= Muy bien. Y, ¿cuánto cuestan las entradas para **el cine**?
– **Quinientas pesetas**.
= De acuerdo. ¿Puedo comprar las entradas aquí?
– No. Tiene que comprar las entradas en la taquilla **del cine**.
= ¿A qué hora empieza **la película**?
– A **las siete y media**.
= Y, ¿a qué hora termina?
– **Sobre las diez**.

b Escucha la conversación otra vez y sólo repite las preguntas.

p148 object pronouns

7 Esta vez un hombre entra en la oficina de turismo. Quiere ir al teatro y quiere más información. Cambia las frases en rojo en la conversación y escribe otra conversación similar.

Quiero ir al teatro esta noche. ¿Qué ponen, por favor?

8 **a** Lees estos resúmenes de películas que van a poner en la televisión en un periódico español. ¿Cuál quieres ver? ¿Por qué? ¿Cuál es la menos interesante? ¿Por qué?

A

CARROS DE FUEGO

PELÍCULA ganadora de cuatro oscars. Se trata de los juegos olímpicos de los años 30. Es la historia de un atleta que tiene un conflicto entre su religión y su amor al deporte. Muy buena. Hay que verla.

B

MISIÓN EN ROMA

UN detective norteamericano investiga un crimen y tiene problemas con la mafia. Buena historia pero una película con mucha violencia.

C

MI MEJOR AMIGO

CUENTA la historia triste de Roberto y su perro Chus. El animal es el mejor amigo de Roberto y un día hay un terrible accidente. El perro le salva la vida al chico pero con trágicas consecuencias.

D

TODOS LOS PROFES ESTÁN LOCOS

COMEDIA muy graciosa. Para pasar un buen rato. Los actores son todos jóvenes desconocidos que salen por primera vez en la pantalla – ¡pero lo hacen muy bien! Cuando yo estaba en el instituto ¡mis profesores no eran como éstos!

b Para cada una de las películas resumidas identifica qué tipo de película es. Por ejemplo: **'Todos los profes están locos' es una película cómica.**

9 Lee los resúmenes otra vez y contesta estas preguntas.

- **¿Qué película trata de la relación entre un chico y su animal?**
- **Si quieres ver una película graciosa, ¿cuál vas a ver?**
- **¿Cómo se titula la película que se basa en Italia?**
- **¿En qué película hay muchos actores nuevos?**

Para leer

1 Dos amigos españoles quieren ir al cine a ver una película este fin de semana. Ven estos anuncios en el periódico y tienen que llegar a un acuerdo sobre adónde ir. A María le gustan las películas de ciencia ficción y las películas históricas. A Juan no le gustan las películas históricas, prefiere las películas de aventuras y las películas cómicas. Imagina la conversación entre ellos.

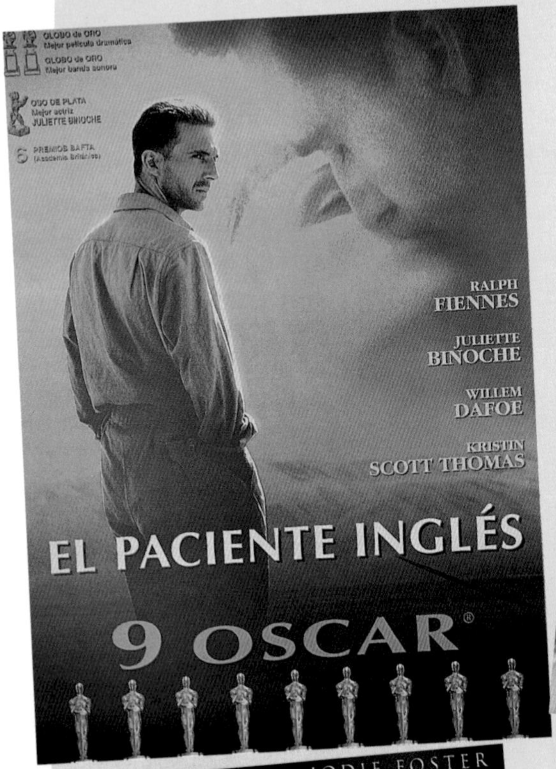

¡Enhorabuena! Ahora sabes cómo. . . / Congratulations! Now you know how to. . .

Objetivo 1: **preguntar lo que ponen en el cine** / Objective 1: **ask what's on at the cinema**

¿Sabe usted si hay un concierto bueno este fin de semana?	Do you know if there is a good concert on this weekend?
¿Qué tipo de música le interesa?	What sort of music do you like?
No hay ningún concierto de música popular por aquí.	There's no pop music concert on round here.
¿Qué ponen en el cine?	What's on at the cinema?
¿Qué tipo de película te gusta?	What kind of film do you like?
Hay una buena película en el cine Odeón.	There's a good film on at the Odeon cinema.
Parece muy interesante.	It seems very interesting.
Voy a ver ésa entonces.	I'll go and see that one then.
una película de aventuras; una película cómica; una película histórica; una película policíaca; una película romántica; una película de terror; una película de ciencia ficción	an adventure film; a comedy film; an historical film; a detective film; a romantic film; a horror film; a science fiction film
divertido; emocionante; fantástico; gracioso; estupendo	entertaining; exciting; fantastic; funny; great

Objetivo 2: **preguntar cuando algo empieza y termina** / Objective 2: **ask when something starts and finishes**

¿A qué hora empieza la obra?	At what time does the play start?
¿A qué hora termina la película?	At what time does the film finish?
Empieza a las siete y media.	It starts at 7.30.
Termina sobre las diez.	It finishes at about 10.00.
Espero que les guste.	I hope that you like it.
qué bien; qué buena idea	wonderful; what a good idea

Objetivo 3: **sacar las entradas** / Objective 3: **buy tickets**

¿A qué sala vamos?	Which screen are we going to?
Hay que comprar las entradas en la taquilla.	You have to buy the tickets at the ticket office.
¿Cuánto cuestan las entradas?	How much are the tickets?
¿Quiere butaca de patio o butaca de entresuelo?	Do you want a seat in the stalls or in the circle?
Deme cuatro, por favor.	Give me four, please.
Son dos mil pesetas en total.	That's 2,000 pesetas altogether.

Objetivo 4: **dar tu opinión** / Objective 4: **give your opinion**

¿Qué tal estuvo la película?	What was the film like?
Era una película muy mala.	It was a very bad film.
Yo creo que las películas policíacas son emocionantes.	I think that detective films are exciting.
demasiado aburrido; lento; pésimo; bueno; magnífico	too boring; slow; awful; good; wonderful
Vale la pena.	It's worth while.
Hay que verla.	You must see it.

Unidad 7

Los planes para el futuro

En esta unidad vas a aprender a:	In this unit you are going to learn to:
• entender, pedir y dar información sobre los planes para el futuro	• understand, ask for and give information about future plans
• hablar de los distintos tipos de educación superior y formación	• talk about different types of further education and training
• hablar de la educación que recibiste	• talk about the education you received

Objetivo 1: **entender, pedir y dar información sobre los planes para el futuro**

1 **a** El director de personal entrevista a Maite. Escucha la conversación y repítela.

– Oye, Maite, ¿qué piensas hacer en el futuro?

= Pues, me gustaría **seguir estudiando** y luego **ir a la universidad**.

– ¿Qué tipo de trabajo te gustaría hacer?

= Bueno, me gustaría hacer algo **interesante**, tener un trabajo **seguro** y **bien pagado**.

– Eres muy ambiciosa, ¿verdad? Eso está bien.

= Claro. Espero **trabajar en el turismo** porque me gusta **viajar a otros países** y **tratar con la gente**.

– Veo que tienes tu futuro bien planeado. ¡Que tengas suerte!

= Muchas gracias.

Me gustaría. . .	I would like. . .
buscar un trabajo	to look for a job
continuar en el instituto	to stay on at school
dejar de estudiar	to stop studying
ir a la universidad	to go to university
seguir estudiando	to continue studying
tener éxito	to be successful
tratar con la gente	to work with people

Espero. . .	I hope. . .
trabajar con niños	to work with children
trabajar en el turismo	to work in tourism
viajar a otros países	to travel to other countries

algo. . .	something. . .
interesante	interesting
bien pagado	well paid
seguro	secure

b Escucha la conversación otra vez y repite lo que dice Maite.

2 Unos jóvenes hablan de su vida.
Escucha las conversaciones y luego empareja cada persona con la frase que corresponde.

Por ejemplo: **1–*C***

Eduardo 2
dejar de estudiar A
Maribel 3
ir a la universidad B
Adrián 4
continuar en el instituto C
Paula 1
buscar un trabajo D
Raúl 6
tener éxito E
Begoña 5
trabajar con niños F

3 En compañía. Primero practica esta conversación con tu pareja.

– Oye, Julián, ¿qué piensas hacer en el futuro?
= Bueno, Pepe, me gustaría trabajar en turismo. ¿Y a ti?
– Me gustaría ir a la universidad.

b Ahora, con la ayuda de estas imágenes, escribe dos diálogos similares.

A ¿Qué piensas hacer en el futuro?

Eva

Carlos

B

Jorge

Ana

c Ahora practica los nuevos diálogos con tu pareja.

4 Rompecabezas. Descifra las palabras A–E para llenar los espacios en la conversación y luego practícala con tu pareja.

– Oye, Francisco, ¿qué piensas hacer en el futuro?

= Pues, soy bastante ambicioso. Me gustaría trabajar en el turismo y ___A___ a otros países. Quiero un trabajo bien ___B___. Y tú, Isabel, ¿eres ___C___?

– Bueno, ___D___ trabajar con niños pero no está bien pagado.

= No, pero es interesante y ___E___, ¿verdad?

ajravi A   **godapa** B   **aocbamiis** C

rosepe D   **reusog** E

5 Dos monitores hablan de su futuro. Escucha la conversación. ¿Qué planes tienen Ignacio y Amelia?

p149 omission of indefinite article

– Ignacio, ¿qué vas a hacer el año que viene?

= Bueno, no sé exactamente. Todo depende de los exámenes. Tengo la intención de estudiar ciencias y luego ir a la universidad. Quiero ser **médico**.

– ¡Hombre! ¡Qué bien!

= Bueno, si. **Pagan bien** y quiero un trabajo interesante. ¿Y tú, Amelia?

– Me gustaría ser **enfermera** y trabajar con niños. **Pagan mal** pero no es importante.

= Claro que no. Eres muy trabajadora.

Quiero ser. . .	I want to be a. . .
cartero	postman/woman
dentista	dentist
enfermero	nurse
ingeniero	engineer
mecánico	mechanic
médico	doctor
periodista	journalist
secretario	secretary
torero	bullfighter

pagan bien	they pay well
pagan mal	they pay badly

6 ¿Qué profesión? Escucha y anota el orden en que mencionan las profesiones.

Por ejemplo: **1–*G***

p149 immediate future

A

B

C

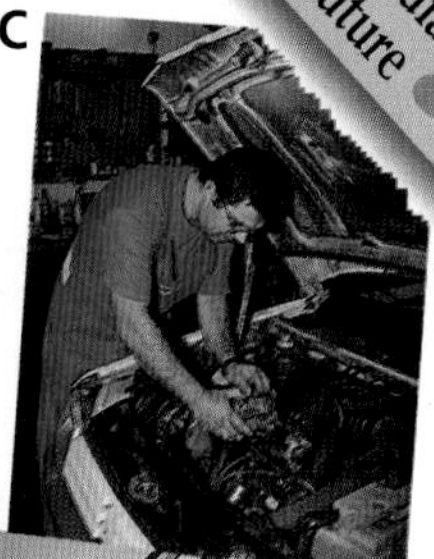

D

E

F

G

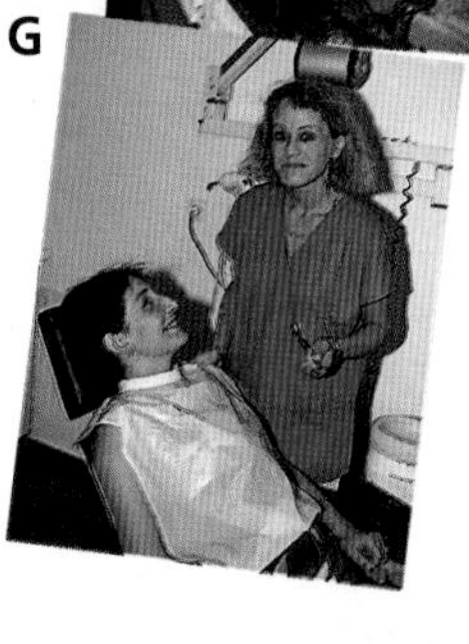

7 ¿Dónde quieres trabajar?
Dos jóvenes hablan de sus planes. Escucha la conversación. En tu opinión, ¿son ambiciosos?

– Oye, Juan, ¿qué planes tienes para el futuro?
= Bueno, quiero dejar de estudiar y buscar un trabajo.
– ¿Verdad? ¿Qué piensas hacer?
= Me gustaría ser **empleado** en **un banco**.
– ¿En un banco? ¿Por qué?
= Me parece un trabajo seguro y bastante bien pagado. ¿Y tú, Susana?
– Pues yo espero trabajar en **un colegio**.
- ¿Quieres ser **profesora**?
– No, **directora**.

Más profesiones	More professions
camarero	waiter
cocinero	cook; chef
dependiente	shop assistant
director	headteacher
empleado	clerk
granjero	farmer
profesor	teacher

Lugares de empleo	Places of work
un banco	bank
un colegio	school
una fábrica	factory
una granja	farm
un hospital	hospital
una oficina	office
una tienda	shop

8 ¿Qué dicen estas personas?
Escucha las conversaciones e identifica el empleo y el lugar que mencionan en cada una.
Por ejemplo: **1-B-L**

9 ¡Te toca a tí! Ahora contesta estas preguntas personalmente.

¿Qué piensas hacer en el futuro?

¿Dónde te gustaría trabajar?

¿Por qué te gustaría hacer eso?

Por ejemplo:
Me gustaría ser ingeniero y trabajar en una fábrica porque me parece un empleo interesante.

Objetivo 2: **hablar de los distintos tipos de educación superior y formación**

1 Lee este artículo. ¿Qué pueden hacer los jóvenes españoles después de terminar en el instituto?

Al terminar el instituto los jóvenes españoles pueden optar por ir a la universidad o buscar un trabajo. Si quieren ir a la universidad, primero tienen que hacer el COU, que es un curso de dos años. También es posible hacer un curso de formación profesional que prepara los estudiantes para una carrera particular. Para los chicos españoles todavía hay el servicio militar, pero mientras están estudiando pueden aplazarlo. Las chicas, en vez del servicio militar, pueden hacer el servicio social.

aplazar	to put off
una carrera	a career
un curso de formación profesional	a vocational training course (like GNVQ)
en vez de	instead of
hacer el COU (curso de orientación universitaria)	to do A levels
optar por	to choose to
el servicio militar	military service
el servicio social	social service

Un poco de cultura

In Spain all Spanish boys must do nine months of military service once they reach the age of 18. This is usually as close to home as possible, but sometimes it might be necessary to move away to a different area. It is possible for students going to University to defer their military service until finishing their studies. Conscientious objectors may choose to do community service instead of military service.

2 Lee las cartas y contesta las preguntas.

p150 future tense

¿Quién. . .
. . . estudiará inglés en la universidad?
. . . será médico un día?
. . . dejará los estudios el año que viene?

Voy al instituto donde estudio COU. Me gusta pero el año que viene espero dejar de estudiar y buscar un trabajo. Soy trabajadora y bastante ambiciosa. Me gustaría trabajar de guía y viajar a otros países. Y si no puedo trabajar como guía en el extranjero buscaré un empleo como monitora en una colonia de vacaciones. El verano pasado trabajé en un hotel como recepcionista y me gustó mucho.

Isabel

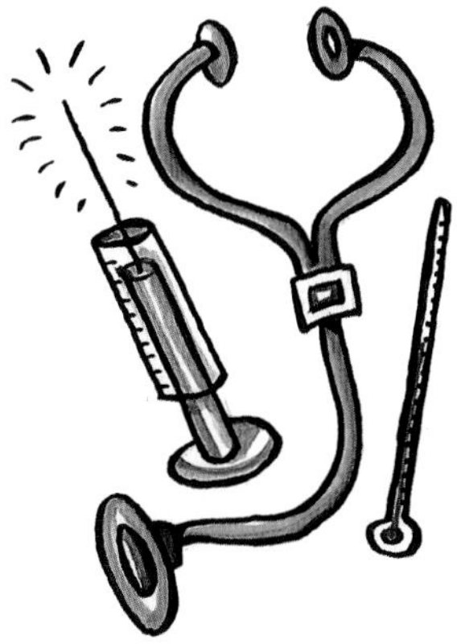

El año que viene me gustaría ir a la universidad pero primero voy a hacer el servicio militar.

En el futuro espero trabajar de médico. Me gusta mucho tratar con la gente. Me parece un empleo interesante pero muy duro. Lo bueno es que me pagarán muy bien. Primero trabajaré en un hospital en España, pero luego iré a los Estados Unidos si puedo.

Ramón

Me gusta mucho el instituto. Este año tendré exámenes y si tengo éxito iré a la universidad a estudiar idiomas. Me gusta mucho el inglés. El verano pasado fui a Inglaterra y pasé un mes con la familia de mi amiga. Visitamos muchos lugares y aprendí mucho.

La verdad es que me encantaría trabajar en el turismo. Lo malo es que en muchos sitios pagan mal.

Begoña

b ¿Correcto, falso o no se sabe?
Lee las cartas otra vez y decide si lo que dicen es correcto o falso o si no se sabe.

Soy estudiante en un instituto.
El año pasado trabajé en la costa.
El año que viene continuaré con mis estudios.
Isabel

El año que viene iré a la universidad.
Trabajaré en un hospital en Salamanca.
Un día ganaré mucho dinero.
Ramón

El año que viene iré a la universidad.
El año pasado pasé las vacaciones en Gran Bretaña.
Soy una estudiante bastante trabajadora.
Begoña

3 ¡Te toca a tí! ¿Cómo será tu futuro?
Con la ayuda de estas frases escribe un párrafo con tu información personal. Usa un diccionario si quieres.

. . . buscaré un trabajo como . . .

. . . estudiaré. . .
. . . viajaré a. . .

Objetivo 3: **hablar de la educación que recibiste**

1 Un joven español tiene una entrevista para un puesto de trabajo. ¿Cuál es su especialidad?

p150 ¿desde hace?

– Bueno, vamos a ver. ¿Qué estudiaste en **el instituto**?

= Pues, en COU hice **matemáticas**, **idiomas** y **estudios empresariales**.

– Y, ¿cuál te gustó más?

= Mi asignatura favorita era **el francés**.

– ¿Ah, sí? ¿Por qué?

= Porque era muy **interesante** y la profesora era **simpática**.

– Y ¿desde cuándo estudias el francés, entonces?

= Pues, desde hace cinco años.

– ¿Sacaste buenas notas en los exámenes?

= Sí. Estudié mucho y saqué un **sobresaliente** en todas las asignaturas.

– ¿Hablas otros **idiomas**?

= Bueno, hablo español, por supuesto, y también me defiendo en **inglés** y **alemán**.

aburrido	boring
agradable	pleasant
antipático	unpleasant
difícil	difficult
estricto	strict
fácil	easy
inútil	useless
interesante	interesting
simpático	kind
útil	useful

las notas	**marks**
sobresaliente	excellent ★★★★
notable	very good ★★★
bien	good ★★
suficiente	satisfactory ★
insuficiente	unsatisfactory ✘
muy deficiente	very poor ✘✘

el colegio	junior school
el instituto	secondary school
la universidad	university

las asignaturas	**school subjects**
el alemán	German
la biología	biology
las ciencias	science
el corte y confección	textile design
los deportes	sports
el dibujo	art
el drama	drama
la educación física	P.E.
los estudios empresariales	business studies
el español	Spanish
la ética	P.S.E.
la física	physics
el francés	French
la geografía	geography
la gimnasia	gymnastics
las humanidades	humanities
la historia	history
los idiomas	languages
la informática	I.T.
el inglés	English
el italiano	Italian
las matemáticas	maths
la música	music
la química	chemistry
la religión	R.E.
la tecnología	technology

2 Estás en España y buscas un trabajo para el verano. En la agencia te dan un cuestionario con estas preguntas. ¿Cómo las contestas?

¿Qué asignaturas estudiaste en el instituto? ____________________

____

____

¿Cuáles te gustaron más? ¿Por qué? ____________________

____

¿Prefieres las ciencias o las humanidades? ¿Por qué? ____________________

____

¿Qué idiomas hablas? ____________________

____

____

¿Cómo eran los profesores en tu instituto? ____________________

____

¿Sacaste buenas notas en los exámenes? ____________________

____

3 Lee esta evaluación de tu amigo español y la nota que la acompaña. Explícaselo a tu amigo inglés.

MATERIAS	**Evaluación**	
	Calificación	**Actitud**
Lengua española	N	A
Matemáticas	N	C
Inglés	SB	A
Ciencias	BN	C
Etica	I	C
Informática	SF	B
Educación física	BN	A
Francés	SB	A

la calificación ***grade***
SB = sobresaliente
N = notable
BN = bien
SF = suficiente
I = insuficiente
MD = muy deficiente

la actitud ***attitude***
A = muy buena
B = buena
C = normal
D = pasiva
E = negativa

Estoy bastante contento con mi evaluación. Saqué buenas notas en idiomas. Soy fuerte en inglés y francés y los profesores son muy buenos. La informática es interesante, pero sólo saqué un suficiente en el examen. No estudié mucho en la clase de ética, porque el profesor era muy aburrido y en mi opinión era una asignatura inútil.

b Ahora escribe tu evaluación del colegio para el año pasado, junto con una nota para mandar a tu amigo español. ¡Tienes que decir la verdad!

1

a Mira estos anuncios. ¿Cuál es el mejor trabajo para Ricardo? Y ¿cuál es el mejor trabajo para Elena? ¿Por qué?

Academia Sánchez y Sánchez

¿Eres ambicioso? ¿Licenciado?

Si hablas inglés y te gustaría viajar mucho, presentarte mañana, miércoles, de 11 a 1 en Avenida de Cádiz 87, primero.

Garaje Fernández

Calle Bilbao 12
solicita mecánicos para fines de semana.
Horas de trabajo de 8 a 18.
Experiencia necesaria. 2.500pts/hora.
Llamar de 10 a 15 horas. 5939914

¿Quieres viajar?

¿Te gusta tratar con la gente?

Ofrecemos trabajo interesante y bien pagado. Experiencia una ventaja pero no necesaria.

Llama en seguida al: 2483981

Restaurante • necesita • camareros/as

para fines de semana y señora ayudante de cocina con experiencia.

¿Le interesa? 5324671

¿Sabes escribir a máquina? Si te gusta la informática y quieres trabajar en un banco, **llama al 5342525.**

- 25 horas por semana más algún sábado.

b ¿Cuál de estos trabajos te interesa a tí? ¿Por qué?

¡Enhorabuena! Ahora sabes cómo. . .	Congratulations! Now you know how to. . .
Objetivo 1: **entender, pedir y dar información sobre los planes para el futuro**	Objective 1: **understand, ask for and give information about future plans**
¿Qué piensas hacer en el futuro? ¿Qué planes tienes para el futuro? ¿Qué tipo de trabajo te gustaría hacer? Me gustaría seguir estudiando. Espero trabajar en el turismo. Todo depende de los exámenes. Tengo la intención de ir a la universidad. Quiero ser médico. Pagan bien/mal. Me parece un trabajo seguro / bien pagado. Eres muy ambicioso.	What are you thinking of doing in the future? What plans have you got for the future? What sort of job would you like to do? I would like to carry on studying. I hope to work in tourism. It all depends on the exams. I intend to go on to university. I want to be a doctor. They pay well/badly. It seems to me to be a secure / well paid job. You are very ambitious.
dejar de estudiar; continuar en el instituto; buscar un trabajo; tratar con la gente; tener éxito; trabajar con niños; viajar a otros paises	to stop studying; to carry on at school; to look for a job; to work with people; to be successful; to work with children; to travel to other countries
las profesiones – ver p72 & 73	professions – see p72 & 73
un banco; un colegio; una fábrica; una granja; un hospital; una oficina; una tienda	a bank, a school; a factory; a farm; a hospital; an office; a shop
Objetivo 2: **hablar de los distintos tipos de educación superior y formación**	Objective 2: **talk about different types of further education and training**
Los jóvenes españoles pueden optar por ir a la universidad o buscar un trabajo. hacer el COU/un curso de formación profesional/el servicio militar/el servicio social.	Young Spanish people can opt for going to university or getting a job. to do 'A' levels/ a training course/military service/social service.
¿Quién será médico un día? Buscaré un empleo como monitora. Si tengo exito iré a la universidad.	Who will be a doctor one day? I will look for work as a rep. If I am successful I will go to university.
Objetivo 3: **hablar de la educación que recibiste**	Objective 3: **talk about the education you received**
¿Qué estudiaste en el instituto/el colegio? Hice matemáticas, idiomas y estudios empresariales. ¿Qué te gustó más? Mi asignatura preferida era el francés. La profesora era simpática. ¿Desde cuándo estudias el francés? Desde hace cinco años. ¿Sacaste buenas notas en los exámenes? Estudié mucho y saqué un sobresaliente. ¿Hablas otros idiomas? Hablo español y me defiendo en alemán. Soy fuerte en inglés.	What did you study at secondary/junior school? I did maths, languages and business studies. What did you like best? My favourite subject was French. The teacher was nice. How long have you been studying French? For five years. Did you get good marks in your exams? I studied a lot and got an A. Do you speak any other languages? I speak Spanish and get by in German. I'm good at English.
las asignaturas – ver p77	school subjects – see p77
aburrido; agradable; antipático; difícil; estricto; fácil; inútil; útil	boring; pleasant; unpleasant; difficult; strict; easy; useless; useful
las notas; sobresaliente; notable; bien; suficiente; insuficiente; muy deficiente	marks; excellent; very good; good; satisfactory; unsatisfactory; very poor

Unidad 8

Profesiones

En esta unidad vas a aprender a:	In this unit you are going to learn to:
• expresar una opinión sobre el trabajo y hablar del trabajo de tus familiares, o explicar que alguien está sin empleo	• express an opinion about work and state the occupations of your family, or explain that someone is unemployed
• hablar del trabajo y de la experiencia de formación	• talk about work and work experience
• pedir y dar información sobre un empleo y decir cómo vas al trabajo	• ask for and give information about a job and say how you go to work

Objetivo 1: **expresar una opinión sobre el trabajo**

1 Lee estos anuncios. ¿Qué puestos anuncian? ¿Te interesan?

HOTEL BAHÍA
Se necesita recepcionista

Excursiones Toño
Se necesitan guías

¿Quiere un trabajo interesante?
Si es peluquera llame al Club Naútico

¿Eres mecánico?
Llama a Autocares Calvo

2 Escucha la conversación. ¿Es fácil ser camarero?

¿? p151 mejor/peor ¿?

– Oye, Toni, ¿tienes trabajo?
= No. Todavía no.
– ¿Qué te gustaría hacer?
= Bueno, creo que me gustaría ser **recepcionista** en **un hotel**.
– Parece un trabajo **interesante**.
= Interesante, sí, pero lo peor es que no pagan bien.
– Es verdad, pero lo mejor es que las horas no son demasiado largas. Mi hermano es **camarero** y en su opinión es un trabajo muy **duro**. Hay que trabajar muchas horas al día.
= Pues sí. Pero por lo menos tiene un trabajo. Mi padre está **en paro** y es horrible.

El empleo	Employment
administrativo	clerical officer
ayudante	assistant
cajero	cashier
conductor	driver
dueño	owner
en paro	unemployed
fontanero	plumber
guía	guide
jefe	boss
mecanógrafo	typist
peluquero	hairdresser
policía	policeman/woman
recepcionista	receptionist

Ver también unidad 7

Lugares de empleo	Places of work
una compañía	company
un hotel	hotel
un laboratorio	laboratory
un supermercado	supermarket

Ver también unidad 7

agradable	pleasant
desagradable	unpleasant
duro	hard
peligroso	dangerous

3 ¿En qué trabajan los familiares de Irene?
Primero, escucha la conversación. Luego empareja las frases.

Mi madre es administrativa.

Mi hermano es recepcionista.

Mi hermana es mecanógrafa.

Mi abuelo es fontanero.

Es un trabajo difícil.

Dice que es un trabajo aburrido.

Es un trabajo agradable y fácil.

Trabaja muchas horas y es desagradable.

Soy profesora. Trabajo muchas horas. En mi opinión mi trabajo es duro.

4 Escucha las conversaciones. ¿Qué piensan estas personas de su trabajo? Primero sólo repite las opiniones positivas. Luego escucha otra vez y repite las opiniones negativas.

5 ¿Y los miembros de tu familia? Copia estas preguntas y contéstalas.
Por ejemplo: **Mi tío es fontanero. Trabaja ocho horas al día. En su opinión su trabajo es interesante.**

¿En qué trabajan tus familiares?

¿Trabajan muchas horas?

¿Cómo es su trabajo?

6 ¿En qué trabajan? Mira las siluetas y lee las opiniones. ¿Qué dice cada persona?
Por ejemplo: **A – Soy mecanógrafa.**

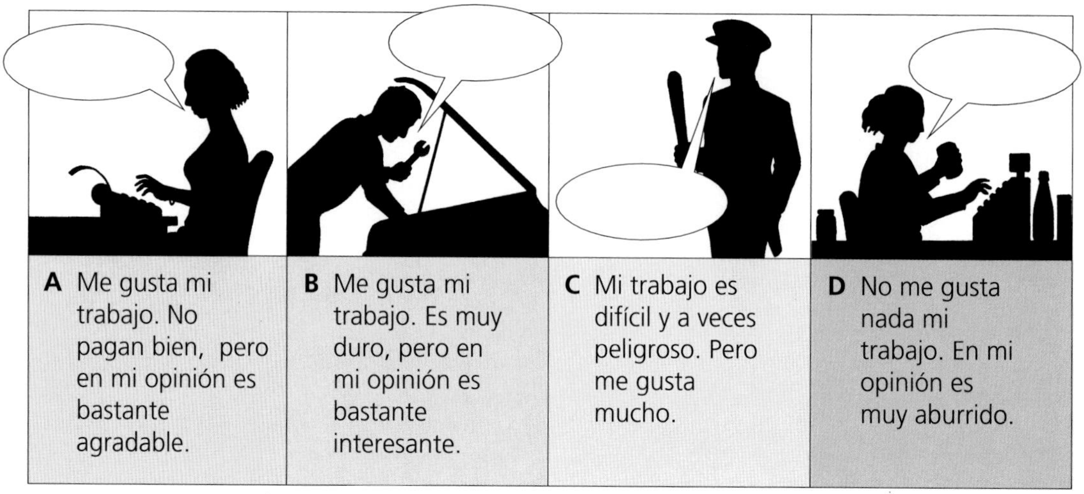

A Me gusta mi trabajo. No pagan bien, pero en mi opinión es bastante agradable.	**B** Me gusta mi trabajo. Es muy duro, pero en mi opinión es bastante interesante.	**C** Mi trabajo es difícil y a veces peligroso. Pero me gusta mucho.	**D** No me gusta nada mi trabajo. En mi opinión es muy aburrido.

7 **a** ¿Puedes hacer dos conversaciones distintas de estas preguntas y respuestas?

¿En qué trabaja tu madre?

En su opinión es muy agradable. Le gusta mucho. Lo mejor es que es interesante.

No, no está contenta. En su opinión es muy aburrido. Lo peor es que trabaja muchas horas.

Y ¿cómo es su trabajo?

Es ama de casa.

¿Tu padre tiene trabajo?

Pues, sí. Es técnico en un laboratorio.

¿Le gusta su trabajo?

Más profesiones	
ama de casa	housewife
artista	artist
bombero	fireman
carnicero	butcher
marinero	sailor
obrero	worker
panadero	baker
soldado	soldier
técnico	technician

Ver también unidad 7

b En compañía. Ahora practica estas conversaciones con tu pareja.

c Escucha las conversaciones y repítelas. En las pausas di la palabra que en tu opinión falta.

8 ¿En qué trabajan los miembros de mi familia?
Descifra estos textos para encontrar la solución.

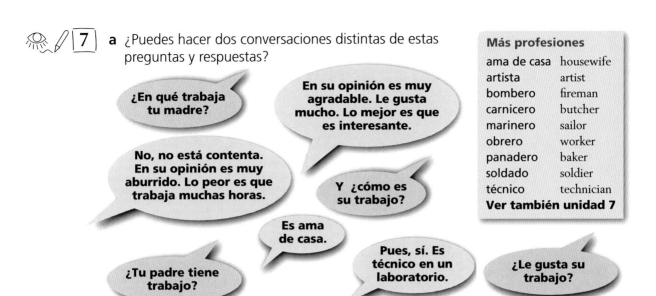

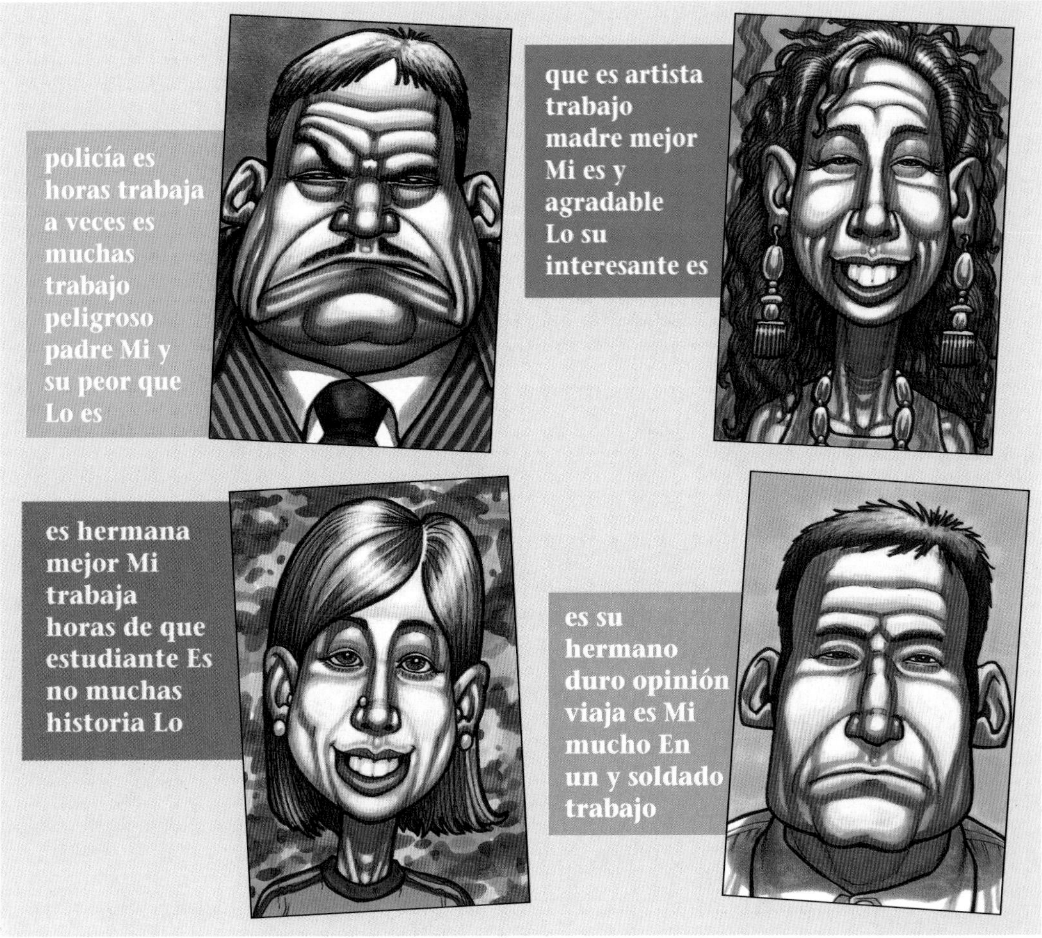

Objetivo 2: **hablar del trabajo y de la experiencia de formación**

Una entrevista con el jefe de personal de una compañía hotelera.

1 Escucha la conversación. ¿Qué experiencia tiene Blanca?

p151 perfect tense imperfect tense

– Pasa, Blanca. Siéntate, por favor.
= Gracias.
– Bueno, ¿qué tipo de trabajo te gustaría?
= Me gustaría ser secretaria en **un hotel**.
– ¿Has tenido experiencia en este tipo de trabajo?
= Pues, tuve un poco de experiencia de formación en **un camping** en Inglaterra. Trabajé un mes en la oficina. Me gustó mucho. Me llevaba bien con la gente y el director estaba muy contento con mi trabajo.
– Y, ¿has trabajado en otro sitio?
= Sí, **trabajé a tiempo parcial** en una oficina durante las vacaciones.
– ¿Cuánto ganabas?
= Pues, **ganaba unas tres libras esterlinas por hora, más las propinas**.
– Y, ¿cuántas horas al día trabajabas?
= Bueno, **trabajaba ocho horas los sábados** y seis los domingos.
– Así que ¿no te importa trabajar tantas horas?
= No, en absoluto. Además, me gusta mucho trabajar con el público.
– Muy bien. ¿Has hecho algo más?
= El año pasado, también **trabajé de canguro** para una familia los fines de semana.
– Muy bien, gracias. Eso es muy interesante.

Tengo/ he tenido un trabajo. . .	I've got / I've had a. . .
a tiempo parcial	part-time job
de medio tiempo	half-time job
de tiempo completo	full-time job

Más lugares de empleo

un aeropuerto	airport
una agencia de viajes	travel agent's
un albergue juvenil	youth hostel
una cafetería	café
un camping	campsite
un ferri	ferry
una gasolinera	petrol station

Trabajo/trabajaba/ trabajé. . .	I work/I used to work / I worked. . .
los fines de semana	at weekends
ocho horas por día	eight hours per day
durante las vacaciones	during the holidays
de ocho a dos	from 8 'til 2 o'clock
de canguro	as a babysitter

Gano/ganaba. . .	I earn/I earned. . .
tres libras esterlinas por hora	£3 per hour
cuatro mil pesetas por día	4,000 ptas per day
. . . más las propinas	. . . plus tips

Un poco de cultura

Work experience for secondary school pupils is not as common in Spain as it is in Great Britain. It is usually only available to students in vocational colleges (Escuelas de Formación Profesional) or to young unemployed people attending courses at craft training centres (Escuelas-taller).

2 **a** ¿Dónde trabajan Pepe, Mercedes, Amelia y Mario? ¿Qué piensan de su trabajo? Escucha las conversaciones y anota las respuestas.

b Escucha las conversaciones dos veces más. Primero repite las opiniones positivas, luego repite las opiniones negativas.

3 En compañía. ¿Cómo contestarían estas personas?
Trabaja por turnos con tu pareja. Imagina que tú eres la persona en la foto. Con la ayuda de la información contesta estas preguntas.

¿Qué tipo de trabajo te gustaría?
¿Has tenido experiencia de este trabajo?
¿Cuánto ganabas?
¿Cuántas horas al día trabajabas?
¿Qué tal el trabajo?
¿Has trabajado en otro sitio?
¿Has hecho algo más?

Ambición: jefe de restaurante
Experiencia de formación: camarero en una cafetería – fines de semana
Condiciones: 300 ptas/hora – difícil – 10 horas/día
Otra experiencia: en un bar – tiempo parcial – vacaciones de verano

A

B

Ambición: profesora
Experiencia de formación: monitora – colonia de vacaciones – julio-agosto
Condiciones: 7.00–22.00 – 2,000 ptas/hora – interesante
Otra experiencia: trabajo de canguro – fines de semana

Ambición: representante
Experiencia de formación: empleado – gasolinera – un mes
Condiciones: aburrido – tiempo completo – 60 horas/semana – pagan mal
Otra experiencia: ninguna

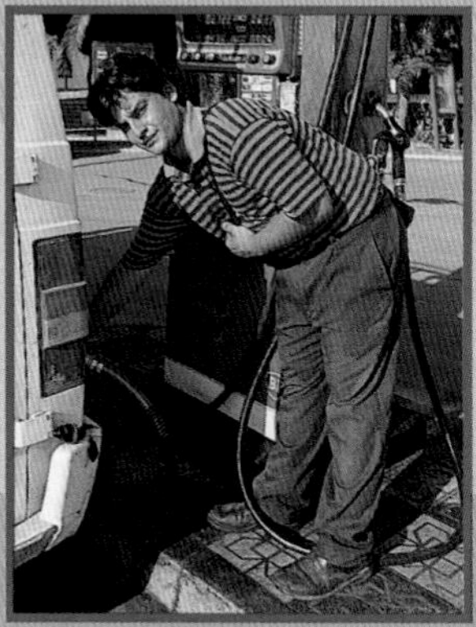
C

D

Ambición: administrativa
Experiencia de formación: cajera – supermercado – sábados
Condiciones: no pagan bien – agradable – 7 horas/día
Otra experiencia: ayudante – tienda – un mes – verano.

4 Lee esta carta de tu amiga española y contéstala.

¡Hola!

¿Cómo estás? Yo estoy muy bien. He dejado los estudios y estoy buscando trabajo, ¿sabes? El año pasado tuve que hacer dos semanas de experiencia de formación como parte de mi curso en el instituto. Trabajé en una oficina de turismo. No me pagaban, pero me gustó muchísimo. El director estaba muy contento con mi trabajo. Me llevo bien con la gente y me gustaría trabajar ahora en una agencia de viajes.

Y tú ¿qué haces? ¿Todavía estás en el instituto o ya trabajas? ¿También has hecho alguna experiencia de formación como parte de tu curso? ¿Dónde trabajaste? ¿Qué hiciste allí?

Bueno, escríbeme pronto con tus noticias.

Un abrazo muy fuerte.

Tu amiga
Catalina

5 En compañía. Practica esta conversación con tu pareja. Rellena los espacios con una palabra o frase apropiada.

– Buenos días, ____________ . Siéntate, por favor.
= Gracias.
– Bueno, ¿qué tipo de trabajo te gustaría hacer?
= Me gustaría ser ____________ .
– ¿Has tenido experiencia de este trabajo?
= Sí, ____________ .
– Y, ¿qué hiciste?
= Trabajé de ____________ .
– ¿Has trabajado en otros sitios?
= Sí, también he trabajado ____________ .
– Y, ¿cuántas horas trabajabas al día?
= Trabajaba ____________ horas al día. De ____________ a ____________ .
– Y, ¿cuánto ganabas?
= Pues, ganaba ____________ libras esterlinas por semana.
– ¿Te llevabas bien con la gente?
= ____________ .
– Pues, muy bien. Muchas gracias. Eso es muy interesante.
= De nada, gracias.

Objetivo 3: **pedir y dar información sobre un empleo y decir cómo vas al trabajo**

1 Un chico tiene una entrevista para el puesto de camarero en un restaurante.
¿Qué quiere saber del trabajo?
Escucha la conversación y da tu opinión.

p153 ¿? conditional tense ¿?

– ¿Podría usted ofrecerme algún puesto de trabajo?
= Bueno, podría ofrecerte el puesto de camarero en un restaurante en Fuenteventura.
– ¡Estupendo! ¿Habría alojamiento?
= Sí. Tendrías una habitación en un hotel.
– ¿El hotel estaría cerca del restaurante?
= Pues, estaría a unos cinco kilómetros.
– Y, ¿cómo llegaría yo al trabajo?
= Bueno, podrías coger el **autobús** por ejemplo, y sólo tardarías unos quince minutos. O podrías ir **a pie** y tardarías unos cuarenta y cinco minutos.
– ¿A qué hora tendría que empezar por la mañana?
= Empezarías a las siete.
– ¿A qué hora terminaría?
= Pues, tendrías un descanso para comer de dos a cuatro, y luego terminarías a las ocho.
– Vale. De acuerdo. Sería un placer aceptar el puesto.

en avión	by plane
en barco	by boat
en bicicleta	by bicycle
en coche	by car
en helicóptero	by helicopter
en moto	by motorbike
a pie	on foot
en taxi	by taxi
en tren	by train

2 **a** ¿Cómo van al trabajo?
Escucha las conversaciones e identifica la imagen.

A **en autobús**

B **en taxi**

C **a pie**

D **en coche**

E **en bicicleta**

F **en tren**

b Y tú, ¿cómo vas al colegio?

3 Escucha la conversación. ¿Te gustaría tener estas horas de trabajo? Da tu opinión sincera.

– ¿Cuántos días por semana tendría que trabajar?
= Trabajarías seis días por semana.
– ¿Cuánto ganaría?
= Ganarías ochocientas pesetas por hora.
– Y, ¿a qué hora tendría que empezar a trabajar?
= Tendrías que empezar a las siete de la mañana.
– ¿Cómo iría al trabajo?
= Bueno, podrías coger el autobús o ir a pie.
– Y, ¿qué haría a mediodía?
= Pues, tendrías un descanso de tres a seis de la tarde, y después trabajarías otra vez de seis a nueve.
– ¡Eso me parece un día muy largo! Saldría a eso de las seis y media de la mañana y no volvería hasta las nueve y media.

4 **a** Escribe esta conversación en el orden correcto. ¿Aceptarías este puesto? ¿Por qué? Por qué no?

Persona A: rojo
Persona B: azul

– Y, ¿tendría descanso?
– **Irías en autobús o a pie.**
– Y ¿a qué hora tendría que empezar?
– **Trabajarías nueve horas y media.**
– ¿Cuántas horas trabajaría por día?
– ¡Eso me parece muy poco! Y ¿cómo llegaría a la oficina?
– **Pues, sí. Tendrías un descanso de media hora.**
– **Empezarías a las siete de la mañana.**
– ¿A pie? ¡En este caso tendría que levantarme a las cinco y media de la mañana!

b En compañía. Ahora escucha la conversación con tu pareja.
Persona A: Repite la parte en rojo.
Persona B: Repite la parte en azul.

c Luego cambia de turno.

5 Lees este anuncio en el periódico y vas a hablar con el jefe de personal de la compañía. ¿Qué preguntas harías? Lee la información y escribe tus preguntas en preparación para la entrevista.

Autocares Plá

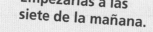

C/San Jorge, Adzaneta de Albaida

Se necesita guía jóven para excursiones al extranjero

Viajes a Inglaterra y Francia. Saldrían los autocares todos los viernes por la tarde. Los viajes serían de una o dos semanas a Londres y Paris.

¿No te importaría trabajar muchas horas? ¿Te gustaría trabajar con el público?¿Hablas inglés o francés? Si quieres saber más, llama al 234 35 77

6 Escucha las conversaciones y escribe las condiciones de trabajo para cada persona.
Por ejemplo: **Carolina cogería el autobús para ir al trabajo.**

¿Quién. . .

. . . trabajaría ocho horas por día?

. . . podría trabajar los sábados?

. . . tendría que salir a las seis de la mañana?

. . . volvería a casa a las cinco y media de la tarde?

. . . cogería el autobús para ir al trabajo?

. . . trabajaría de diez a dos?

. . . tendría un descanso de media hora?

. . . saldría de la oficina a las siete de la tarde?

. . . comería a las dos?

. . . tendría que coger el tren?

. . . podría ir a pie al trabajo?

. . . tendría alojamiento en un hotel?

A
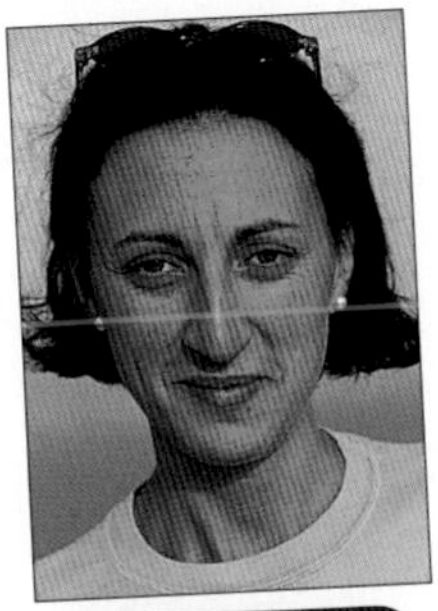
Carolina

B

Victor

C

Julia

D

Dionisio

7 Copia esta conversación y complétala con las preguntas correctas.

– ¿_______________?
= Pues, podría ofrecerle el puesto de recepcionista.
– ¿_______________?
= Son cinco horas por día.
– ¿_______________?
= Empezarías a las ocho de la mañana y terminarías a las seis de la tarde.
– ¿_______________?
= Sí, tendrías un descanso de cuarenta minutos.
– ¿_______________?
= Bueno, irías en autobús o podrías coger un taxi.
– ¿_______________?
= Dos mil pesetas por hora.

Para leer

1 Lee este anuncio para el trabajo de mecanógrafo/a, y la carta de solicitud.

EMPRESAS GUAL

Se necesita mecanógrafo/a.
Experiencia deseable.

Para más información llame al 325 67 09.
Interesados : ecribir al Apartado núm. 1649 de Valencia.

Onteniente, 23 de mayo

Estimado señor:

Quisiera solicitar el puesto de mecanógrafo anunciado en el periódico del lunes. Tengo dieciocho años. Tengo experiencia de este tipo de trabajo. He hecho un poco de experiencia de formación en una empresa de textiles en el pueblo donde vivo. Trabajé dos meses en la oficina.

También trabajé a tiempo parcial en una agencia de viajes durante las vacaciones de verano. Me llevo bien con la gente y no me importa trabajar horas largas.

Espero que pueda ofrecerme la oportunidad de una entrevista.

Le saluda atentamente,

Simón Sencillo.

2 Ahora adapta la carta para solicitar uno de estos trabajos.

Restaurante 'La Trainera'

Necesitamos camareros/as para los fines de semana

Experiencia necesaria

Escribir a José Melilla, Restaurante 'La Trainera', C/La Virgen, Madrid

Importante compañía multinacional busca administrativos para el verano

A tiempo parcial – lunes y viernes.

Experiencia preferible.

Escribir al Apartado 7398 de Castellón.

Supermercados

'Doña Carmen'

Buscamos cajeros/as de medio tiempo para el mes de agosto

Experiencia no necesaria – damos formación

Escribir al Jefe de Personal, Apartado 2850 de Gandía

¡Enhorabuena! Ahora sabes cómo. . . / Congratulations! Now you know how to. . .

Objetivo 1: **expresar una opinión sobre el trabajo y hablar del trabajo de tus familiares** / Objective 1: **express an opinion about work and state the occupations of your family**

¿Qué te gustaría hacer?	What would you like to do?
Me gustaría ser recepcionista en un hotel.	I would like to be a receptionist in a hotel.
Parece un trabajo peligroso.	It seems like a dangerous job.
Lo peor es que no pagan bien.	The worst thing is that they don't pay well.
Lo mejor es que las horas no son demasiado largas.	The best thing is that the hours aren't too long.
Mi padre está en paro.	My father is out of work
administrativo; ama de casa; artista; ayudante; bombero; cajero; carnicero; conductor; dueño; el empleo; fontanero; guía; jefe; marinero; mecanógrafo; obrero; panadero; peluquero; policía; soldado; técnico	clerical assistant; housewife; artist; assistant; fireman; cashier; butcher; driver; owner; employment; plumber; guide; boss; sailor; typist; worker; baker; hairdresser; policeman; soldier; technician
una compañía; un laboratorio; un supermercado	company; laboratory; supermarket
difícil; desagradable; duro; fácil; útil	difficult; unpleasant; hard; easy; useful

Objetivo 2: **hablar del trabajo y de la experiencia de formación** / Objective 2: **talk about work and work experience**

¿Qué tipo de trabajo te gustaría?	What sort of a job would you like?
¿Has tenido experiencia de este tipo de trabajo?	Have you any experience of this sort of work?
Hice un poco de experiencia de formación en un camping en Inglaterra.	I did a bit of work experience on a campsite in England.
He tenido un trabajo a tiempo parcial/de medio tiempo/de tiempo completo.	I had a part-time/half-time/full-time job.
El año pasado trabajé de canguro.	Last year I worked as a babysitter.
¿Cuánto ganabas?	How much did you earn?
Ganaba unas tres libras esterlinas por hora, más las propinas.	I earned three pounds an hour, plus tips.
¿Cuántas horas al día trabajabas?	How many hours a day did you work?
Trabajaba ocho horas los sábados.	I worked eight hours on Saturdays.
un aeropuerto; una agencia de viajes; un albergue juvenil; un ferri; una gasolinera	airport; travel agent's; youth hostel; ferry; petrol station

Objetivo 3: **pedir y dar información sobre un empleo y decir cómo vas al trabajo** / Objective 3: **ask for and give information about a job and say how you go to work**

¿Podría usted ofrecerme algún puesto de trabajo?	Could you offer me any sort of job?
¿Habría alojamiento?	Would there be any accommodation?
Tendrías una habitación en un hotel.	You would have a room in a hotel.
¿Cómo llegaría yo al trabajo?	How would I get to work?
Podrías coger el autobús.	You could catch the bus.
Sólo tardarías quince minutos.	You would only take fifteen minutes.
¿A qué hora tendría que empezar?	At what time would I have to begin?
Empezarías a las siete.	You would start at seven.
¿Tendría un descanso a mediodía?	Would I have a break at midday?
Tendrias un descanso de dos horas para comer.	You would have a two hour break for lunch.
en avión; en barco; en bicicleta; en coche; en helicóptero; en moto; a pie; en taxi; en tren	by plane; by boat; by bicycle; by car; by helicopter; by motorbike; on foot; by taxi; by train

Unidad 9

Solicitar trabajo

En esta unidad vas a aprender a:	In this unit you are going to learn to:
• entender los anuncios	• understand adverts
• solicitar trabajo	• seek work
• hablar de tus planes para el futuro	• talk about your plans for the future

Objetivo 1: **entender los anuncios**

1 **a** Lee estos anuncios. ¿Qué trabajo te interesa a tí?

EMPRESA MULTINACIONAL
necesita
SECRETARIA BILINGÜE
(oficina Madrid)
requerimos:
- inglés
- mecanografía
- permiso de conducir

ofrecemos:
- 37 horas por semana
- sueldo interesante

Interesados enviar C.V. al Aptdo. 67, Madrid

A

Organización internacional
dedicada al transporte
necesita administrativo/a
indispensable:
- buena presencia
- educación universitaria

se ofrece:
- contrato anual
- jornada laboral de 9 a 14 y de 16 a 19
- lugar céntrico de trabajo

Escribir al Apartado núm. 1004 de Elche

B

CAFETERÍA MUSICAL
busca
CAMARERO/CAMARERA
Se requiere:
- persona trabajadora
- llevarse bien con la gente
- conocimientos de inglés

Ofrecemos:
- 40 horas por semana
- propinas

Interesados enviar C.V. al Aptdo. 4825, Madrid

C

HOTELES VISTAMAR
necesitamos
RECEPCIONISTAS
(Baleares y Costa Brava)
Requerimos:
- buena presencia
- experiencia en turismo
- dominio del francés hablado

Ofrecemos:
- trabajo fines de semana o vacaciones
- alojamiento

Presentarse en C. Bernal 22, Barcelona

D

Se requiere / requerimos. . .	We require. . .
conocimientos de inglés	knowledge of English
dominio de francés	command of French
mecanografía	typing
permiso de conducir	driving licence
buena presencia	well presented (person)

Se ofrece / ofrecemos. . .	We offer. . .
alojamiento	accommodation
contrato	contract
jornada laboral	working day
lugar de trabajo	workplace
propinas	tips
sueldo	salary

b Ahora escucha la conversación ¿Qué trabajo le interesa a Teresa y por qué?

c ¿Qué oportunidades habría? Empareja estas frases con los anuncios correspondientes.
Por ejemplo: **1–A, B, C**

1 **Podría vivir en casa.**
2 **Encontraría a gente joven.**
3 **Me pagarían bien.**
4 **Tendría mucho tiempo libre.**
5 **Podría viajar mucho.**
6 **Hablaría inglés.**
7 **Tendría un puesto bastante seguro.**
8 **Podría trabajar en la costa.**

d ¿Qué opinan estas personas de su trabajo? Escucha lo que dicen y anota su opinión.

Eduardo

Luisa

Francisco

e ¡Te toca a tí! ¿Qué opinas tú de los trabajos anunciados?
Lee los anuncios otra vez y explica por qué te interesa o no.

Por ejemplo: **Me gustaría ser secretaria. Tendría un puesto bastante seguro.**

2 ¿Te gustaría o no?
Para cada trabajo escribe una frase, como en el ejemplo.

Por ejemplo: A **Me gustaría ser dentista. Me pagarían bien.**
B **No me gustaría ser guía. No podría vivir en casa.**

3 **a** A Adrián no le interesa el anuncio. ¿Por qué?
Escucha la conversación y repítela.

p154 ¿cuál? éste/ése/aquél

– Oye, Adrián, ¿qué te parece este anuncio?
= ¿Cuál? ¿Éste?
– No, ése, para un camarero.
= Pues, no, María. No me interesa nada. Pagan mal y hay que trabajar muchas horas.
– Bueno, vamos a ver. ¿Qué te parece aquél para el puesto de recepcionista?
= Sí, me gusta la idea. Ofrecen alojamiento y tengo un poco de experiencia. Voy a llamar allí.

b Ahora lee estos anuncios y haz una conversación similar con tu pareja para decidir qué trabajo prefieres.

Restaurante
El Marisco
necesita
CAMAREROS/AS

se requiere:
- personas motivadas y responsables
- buena presencia
- conocimientos de inglés

ofrecemos:
- 35 horas por semana
- uniforme

Llamar al 2456387

Colonia de Vacaciones
MAR AZUL
necesita
MONITORES/AS

se requiere:
- jóvenes entre 18 y 25 años
- carácter dinámico
- deportista
- conocimientos de idiomas

ofrecemos:
- buen sueldo
- alojamiento y comida

Llamar al 3985721

VIAJES ESTEBANILLO
necesita
GUÍAS

se requiere:
- chicos y chicas
- carácter abierto
- buena presencia
- conocimientos de francés y alemán

ofrecemos:
- trabajo para fines de semana
- horario flexible

Llamar al 2976109

4 Diseña un anuncio para uno de estos puestos.

Objetivo 2: **solicitar trabajo**

1

a Gloria solicita trabajo.
Lee los anuncios y la carta. ¿Sería Gloria la persona ideal para el trabajo que solicita?

p155 present continuous tense

LA VOZ DE ASTURIAS 12 de marzo

Bolsa de Trabajo

EMPRESA DE TELECOMUNICACIONES NECESITA TRADUCTOR/A ESPAÑOL – INGLÉS,
entre 24 y 30 años
Todas las posibilidades de promoción
Sra C. Llana, Directora, Apartado 1775, Oviedo

VIAJES EUROLUJO
necesita secretaria
inglés, alemán, italiano
Sr A. Lozano, Jefe de Personal
Apartado 1874, Gijón

La Coruña, 16 de marzo de 1999

Sr A. Lozano
Jefe de Personal
Viajes Eurolujo
Apartado 1874
Gijón

Estimado señor Lozano

Ref: secretaria

En relación con el anuncio publicado en el periódico La Voz de Asturias de fecha 12 de marzo, quisiera solicitar el puesto de secretaria bilingüe.

Tengo 23 años. Hablo y escribo inglés perfectamente y tengo conocimientos de alemán. Actualmente estoy trabajando en un banco como administrativa. También tengo experiencia como guía en Inglaterra.

¿Podría mandarme una hoja de solicitud de empleo?

Le saluda atentamente.

Gloria Hernández

actualmente	currently
secretaria bilingüe	bilingual secretary
traductor/a	translator

b ¡Te toca a tí! Ahora adapta la carta para solicitar el puesto de traductor/a.

2 **a** Unos jóvenes están buscando trabajo. ¿En dónde?
Escucha las conversaciones e identifica la imagen correcta.

A

B

C

D

b ¿Hay trabajo o no? Escucha las conversaciones otra vez y anota si hay trabajo o no, o si no se sabe.

Por ejemplo: **1 – *no se sabe***

3 **a** Paco solicita trabajo.
Lee estos anuncios y el currículum de Paco. Quiere solicitar uno de estos empleos. Elije el mejor trabajo para él y cambia las frases subrayadas en la carta en la página 95, para escribir su solicitud.

LA HOJA DEL LUNES 23 de mayo

Bolsa de Trabajo

Bar-restaurante "La Corona Dorada"
necesita camarero/a
- sábados y domingos
- 500 ptas por hora más propinas

Apartado 1748, Gijón

El Banco Hispano
necesita administrativo/a
- trabajo seguro
- excelentes condiciones

Sra M. Fuentes, Jefe de Personal, Apartado 1443, Oviedo

El Capistrano
necesita monitores
¿Te gustaría trabajar al aire libre?
¿Hablas varios idiomas?
¿Te gustan los deportes?
Escribe en seguida a Sra Martínez

Apartado 1625 Nerja

El currículum de Paco

```
Apellidos: Sánchez López
Nombre: Francisco
Edad: 19 años
Idiomas: español, inglés y francés
Trabajo actual: estudiante de educación
  física
Otra experiencia: profesor de natación
  en colonia de vacaciones
```

b Estoy buscando trabajo. ¡Ayúdame!
Empareja estas frases con el anuncio correspondiente.

A Me gusta la natación y el tenis.

B Sólo quiero trabajar los fines de semana.

C Quiero trabajar en una oficina.

4 La bolsa de trabajo.
Estás escuchando la radio y oyes unos anuncios. Primero anota los detalles de cada puesto, luego decide cuál te gustaría más y por qué.

5 ¿A quién se refiere?
Lee la información e indica quién diría cada frase.
Por ejemplo: **A – Mario**

Apellidos: Chacártegui Llana
Nombre: Jorge
Fecha de nacimiento: 23. 7. 79
Datos académicos e idiomas:
COU
Inglés y alemán.
Oficios en los que solicita empleo:
En un banco

Apellidos: Tornero Lewis
Nombre: Mario
Fecha de nacimiento: 20.11.79
Datos académicos e idiomas:
COU
Inglés hablado. Fuerte en informática.
Oficios en los que solicita empleo:
Turismo; recepcionista en un hotel

Apellidos: Cantó Gras
Nombre: María Luisa
Fecha de nacimiento: 29. 4. 77
Datos académicos e idiomas:
Licenciada en historia
Francés
Oficios en los que solicita empleo:
Turismo; guía

Apellidos: Martín Sánchez
Nombre: Patricia
Fecha de nacimiento: 3. 9. 77
Datos académicos e idiomas:
Licenciada en matemáticas
Inglés
Oficios en los que solicita empleo:
Enseñanza; profesora en un colegio

A Espero trabajar con ordenadores.
B No hablo inglés.
C Quisiera trabajar en un hotel.
D Hablo dos idiomas
E Mi madre es inglesa.
F Estudié matemáticas en la universidad.
G Nací en julio 1979.
H Trabajaré con niños.
I Fui a la universidad.

Objetivo 3: **hablar de tus planes para el futuro**

1 ¿Quién conseguirá el puesto? ¿Ignacio o Juanita? Escucha las entrevistas.

EL PAÍS
necesita gente joven para ser
PERIODISTAS
Presentarse lunes a las 10
Calle San Bernardo 12, Madrid

a)

– Bueno, Ignacio, vamos a ver, estás haciendo COU, ¿verdad?
= Sí, todavía estoy estudiando en el instituto.
– ¿En qué asignaturas eres bueno?
= En informática, ciencias, idiomas y educación física.
– Muy bien. ¿Por qué no piensas ir a la universidad el año que viene?
= Quiero trabajar. ✗ Ignacio dice poco.
– ¿Tienes experiencia de trabajo?
= Sí, el año pasado trabajé de profesor de natación y de momento estoy trabajando como monitor en una colonia de vacaciones. Habla del pasado. ✓
– Y, ¿qué tipo de trabajo estás buscando?
= Quiero **un trabajo fijo**.
– ¿Por ejemplo?
= Periodista. ✗ Respuestas cortas.
– Pues, mira, será un trabajo duro. Trabajarás muchas horas y, al principio, no te pagaremos mucho. ¿Qué piensas?
= Bueno, está bien.

b)

– Juanita, estás haciendo COU, ¿verdad?
= Sí, pero quiero dejar de estudiar y buscar empleo. ✓ Juanita habla más y da su opinión.
– ¿En qué asignaturas eres buena?
= En idiomas y lengua española.
– Muy bien. ¿Tienes experiencia de trabajo?
= Sí, el verano pasado trabajé de guía en Inglaterra. Fue estupendo, muy interesante. ✓ Habla del pasado.
– Y ¿qué tipo de trabajo te interesa ahora?
= Para mí será importante tener **un trabajo variado**. Explica por qué. ✓
– ¿Por ejemplo?
= Un trabajo que me dejará viajar y conocer a otras personas.
– Bueno, el trabajo de periodista es duro. Trabajarás muchas horas y ganarás poco dinero. ¿Te importa?
= No, para mí lo esencial es tener un empleo interesante. Trabajaré muchas horas y estaré muy contenta. ✓ Habla del futuro.

un trabajo fijo	a permanent job
un trabajo rutinario	a routine job
un trabajo variado	a job with variety

2 **a** ¡Te toca a tí!
Contesta estas preguntas.

A ¿Seguirás estudiando? ¿Por qué (no)?

B ¿En qué asignaturas eres bueno/a?

C ¿Irás a la universidad? ¿Por qué (no)?

D ¿Qué tipo de trabajo te interesa ahora?

E ¿Tienes experiencia de trabajo? ¿Dónde?

F ¿Te importa trabajar muchas horas? ¿Por qué (no)?

b En compañía.
Ahora haz las mismas preguntas a tu pareja y anota sus respuestas.

3 **a** ¿Qué hará Fiona?
Primero estudia el diagrama. ¿Lo entiendes? Luego escucha la conversación.

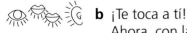

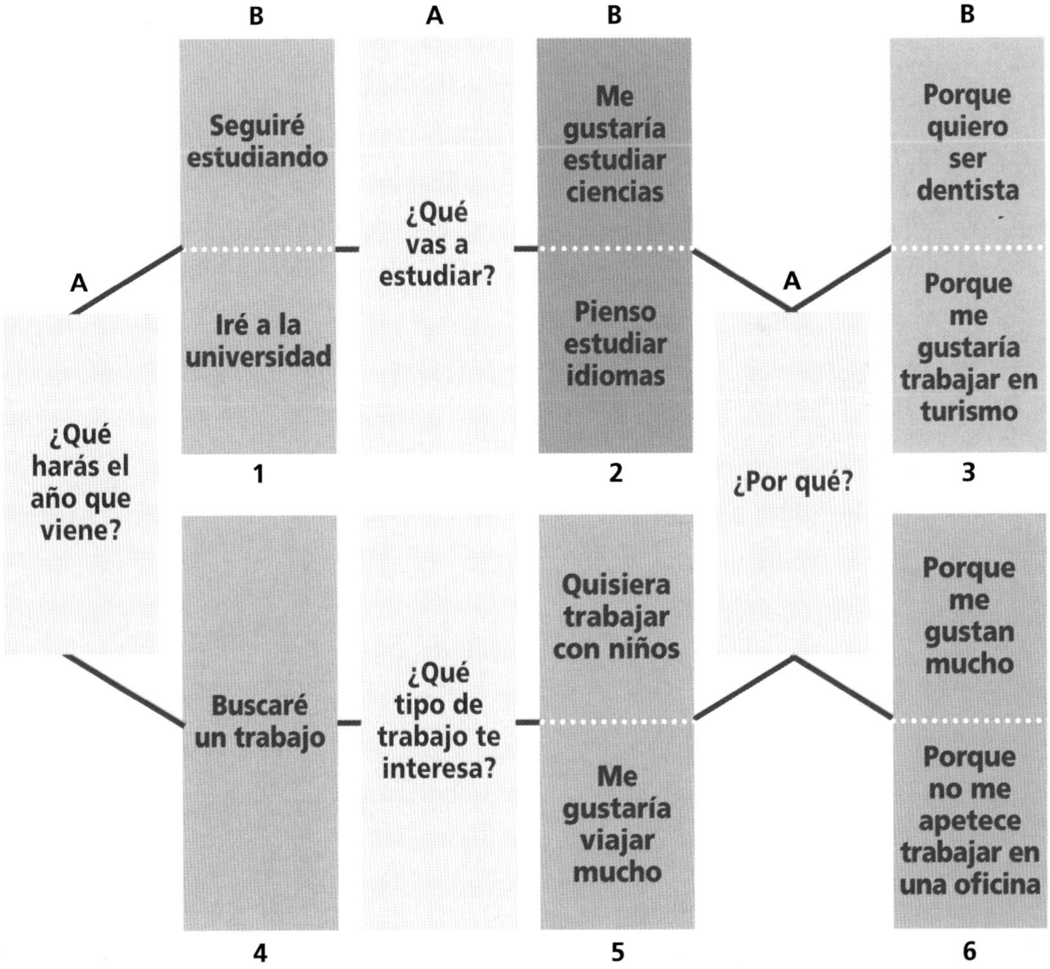

b ¡Te toca a tí!
Ahora, con la ayuda del diagrama, cambia la conversación y túrnate con tu pareja para practicarla. Si necesitas, escucha los ejemplos.

4 **a** Lee este horóscopo y escribe lo que cada persona diría a sus amigos.
Por ejemplo: **Concha – "No iré a la universidad, etcétera".**

Concha

Tauro

No irás a la universidad. Sacarás buenas notas en historia y dibujo. Tendrás un trabajo interesante y seguro. Trabajarás con niños en Inglaterra

Tomás

Geminis

Trabajarás un mes en un hotel en la playa. Más tarde irás a la universidad. Estudiarás informática.

Alejandro

Cáncer

No seguirás en el instituto. El año que viene buscarás empleo en una cafetería donde ganarás mucho dinero. Luego trabajarás en un banco.

Paula

Leo

Trabajarás de mecánico. Será un empleo seguro pero no te pagarán bien. Estudiarás geografía y viajarás a China.

Susana

Virgo

Estudiarás química en la universidad. Trabajarás en un laboratorio. Luego te tocará la lotería y no trabajarás.

Martín

Libra

Trabajarás en una oficina. Será muy aburrido y no muy seguro. Luego viajarás a Francia.

b ¿Tendrán suerte o no?
Escribe el horóscopo de estas personas.
Por ejemplo: **A Tomás trabajará de guía. Viajará mucho.**

1 ¿Estudiar o trabajar?
Primero lee esta carta.

Alicante 24 de julio

¡Hola Catherine!

Gracias por tu carta. ¡Veo que todavía estás en el instituto! ¡Yo no! Aquí ya han empezado las vacaciones.

El mes que viene voy a trabajar de camarera en un hotel en la playa. Estoy muy contenta porque puedo vivir en casa. No me pagarán mucho dinero y dicen que será un trabajo bastante duro. Lo bueno es que hay muchos turistas en agosto y dan buenas propinas. Además ¡podré hablar inglés! ¿Trabajarás este verano?

En septiembre pienso ir a la universidad donde me gustaría estudiar geografía. Y tú, ¿seguirás en el instituto o buscarás trabajo? Al terminar mis estudios quiero viajar mucho antes de buscar un empleo permanente. ¿Qué tipo de trabajo te interesa a ti?

Bueno, nada más por ahora. Recuerdos a tus padres.

Tu amiga
María Luisa

2 ¿Y tú? ¿Qué planes tienes para el futuro?
¿Trabajarás este verano?
¿Qué harás en septiembre?
Al terminar tus estudios, ¿qué tipo de trabajo te interesa hacer?

¡Enhorabuena! Ahora sabes cómo. . . | Congratulations! Now you know how to. . .

Objetivo 1: **entender los anuncios**	Objective 1: **understand adverts**
Empresa multinacional necesita secretaria bilingüe. Cafetería busca camarero. Requerimos mecanografía. Se requiere persona trabajadora. Ofrecemos sueldo interesante. Se ofrece contrato anual.	Multinational firm needs bilingual secretary. Café looking for a waiter. We need typing skills. Hardworking person required. We are offering a good wage. Annual contract offered.
colonia de vacaciones; organización internacional	holiday camp; international organisation
alojamiento; buena presencia; conocimientos de idiomas; dominio del francés hablado; horario flexible; jornada laboral; lugar de trabajo; permiso de conducir; propinas	accommodation; well presented (person); knowledge of languages; command of spoken French; flexible hours; working day; workplace; driving licence; tips
¿Qué te parece este anuncio? ¿Cuál? ¿Éste? Ése para un camarero ¿Qué te parece aquél para el puesto de recepcionista? Voy a llamar allí.	What do you think about this advertisement? Which one? This one? That one for a waiter. How about that one for the job of receptionist? I'm going to phone there.
Objetivo 2: **solicitar trabajo**	Objective 2: **seek work**
Quisiera solicitar el puesto de traductor/a. Actualmente estoy trabajando en un banco. ¿Podría mandarme una hoja de solicitud de empleo?	I would like to apply for the post of translator. I am currently working in a bank. Could you send me a job application form?
Objetivo 3: **hablar de tus planes para el futuro**	Objective 3: **talk about your plans for the future**
¿Estás haciendo COU? Todavía estoy estudiando en el instituto. ¿Por qué no piensas ir a la universidad? De momento estoy trabajando como monitor. Quiero un trabajo fijo. Estoy buscando empleo. Quiero dejar de estudiar. Para mí será importante tener un trabajo variado.	Are you doing 'A' levels? I'm still studying at school. Why aren't you thinking about going to university? For the time being I'm working as a holiday rep. I want a full-time job. I'm looking for work. I want to finish studying. It will be important for me to have a job with variety.
Lo esencial es tener un empleo interesante. Seguiré estudiando. Iré a la universidad.	The essential thing is to have an interesting job. I'll carry on studying. I'll go to university.
un trabajo rutinario	a routine job

Unidad 10

Los Recados

En esta unidad vas a aprender a:	In this unit you are going to learn to:
• llamar por teléfono y contestar	• make a telephone call and reply
• dejar y recibir un mensaje telefónico	• leave and take a telephone message
• ponerte en contacto por teléfono, fax o correo electrónico	• get in touch by phone, fax or E-mail

Objetivo 1: **llamar por teléfono y contestar**

1 **a** ¿Te interesan estos puestos? ¿Por qué? ¿Por qué no?

A

Bar-restaurante
"El Barco"
necesita
camareros/as
• día laboral de ocho horas
• 500 ptas por hora
Llamar a Sra Martín 257 9103

B

Sánchez y Alonso
Agencia de viajes
necesita
administrativo/a
• cultura media
• excelentes condiciones
llamar a Sr. Sánchez 255 41 38

C

El Capistrano
necesita
recepcionistas
• ¿Tienes experiencia?
• ¿Hablas varios idiomas?
llama en seguida a Sra Martínez 245 18 66

b Felipe solicita uno de estos puestos. ¿Qué puesto le interesa? Escucha la conversación.

– Sánchez y Alonso, ¿dígame?
= Buenos días, ¿puedo hablar con el señor Sánchez, por favor?
– **¿De parte de quién?**
= Felipe Solana.
– Un momento, por favor. Lo siento pero **está ocupado**. **¿Quiere dejarme su número de teléfono?** El señor Sánchez le llamará **lo antes posible**.
= Muchas gracias. Mi número es el 223 18 40.
– **A ver si lo tengo bien**. 223 18 40.
= Eso es.
– Gracias, señor Solana, adiós.
= Adiós, gracias.

¿De parte de quién?	Who's calling?
Está ocupado/a.	He/she's busy.
¿Quiere. . .	Would you like to. . .
dejarme su número de teléfono?	leave me your telephone number?
llamar más tarde?	ring later?
lo antes posible	as soon as possible
A ver si lo tengo bien.	Let's see if I've got it right.

2 En compañía.

Estas personas quieren trabajar en estos sitios. Llaman por teléfono. Imagina las conversaciones y practícalas con tu pareja. Utiliza la conversación en la actividad 1b como modelo.

3 Completa estas conversaciones y practícalas con tu pareja.

a)

– López y Martín, ¿dígame?

= Buenos días, ¿puedo  ?

– ¿De parte de quién?

=  .

– Un momento, por favor. Lo siento pero está ocupado. ¿Quiere  ?

= Sí, es el 286 5129.

– Gracias, señorita  adiós.

= Adiós, gracias.

b)

–  , ¿dígame?

= Buenas tardes, ¿puedo hablar con la señora Alonso, por favor?

– ¿  ?

= Eduardo Blanco.

– Un momento, por favor. Lo siento pero  .

¿  ?

= Sí, es el 293 9914.

– ¿293 9914?

= Eso es.

– Gracias, señor Blanco, adiós.

4 **a** El señor Sánchez de la agencia de viajes llama a Felipe.
¿Cuándo podrán verse Felipe y el señor Sánchez? Escucha la conversación.

– ¿Dígame?
= ¿Es usted Felipe Solana?
– Sí, soy yo.
= Soy Fernando Sánchez, de Sánchez y Alonso. Me ha llamado usted esta mañana, ¿verdad?
– Sí, me interesa el puesto anunciado en el periódico.
= ¿Qué puesto?
– El puesto de administrativo en su agencia.
= Ah sí, bueno. ¿Tiene experiencia de este tipo de trabajo?
– Sí, he trabajado en una agencia de viajes en Inglaterra.
= Excelente. ¿Podrá usted venir a la oficina mañana a las diez?
– Bueno, estaré libre todo el día, pero sería más conveniente por la tarde.
= De acuerdo. Nos podremos ver a las cuatro. Adiós, hasta mañana.

b ¿Cuándo será conveniente?
Escucha las conversaciones y empareja las papeletas (A – D) con los puestos (E – H).
Por ejemplo: 1 – B – H

A **martes 4 de la tarde**

B jueves 9.00

C viernes 5.45 de la tarde

D **miércoles 11.30**

5 En el contestador. Escucha los recados y completa las frases.

¿__________ __________ con la señora Fuentes?
Mi apellido es __________.
Juan, ¿__________ __________ a la oficina a las tres?
Mi número de teléfono es _ _ _ _ _ _ _ _.
Me interesa __________ __________ en el periódico.

Objetivo 2: **dejar y recibir un mensaje telefónico**

1 Trabajas a tiempo parcial en un hotel en España. Coges el teléfono. ¿Entenderías tú a la señora Llana?
Escucha la conversación.

¿? p156 subjunctive ¿?

– Hotel Miramar, ¿dígame?
= Buenas tardes. ¿Puedo hablar con la señora Blanch, habitación 350?
– Un momento, por favor. Lo siento pero la señora Blanch no contesta. ¿Quiere dejarle un recado?
= Sí. Dígale que le ha llamado la señora Llana y que me llame ella, por favor.
– Desde luego. Así que ¿es usted la señora Llana?
= Sí, se escribe L-L-A-N-A.
– Gracias, señora. ¿Quiere dejarme su número de teléfono, por favor?
= Es el 375 89 62.
– Entonces, el 375 89 72.
= No, 375 89 62.
– Gracias. ¿A qué hora quiere que la señora Blanch la llame?
= Bueno, a cualquier hora antes de las cinco de la tarde.
– Muchas gracias. Le diré a la señora Blanch que la llame cuando vuelva.

¿Quiere dejarle un recado?
RECEPCION

Hotel Miramar
Fecha: *12 de agosto*
Recado para: *Sra Blanch*
Habitación número: *350*
Ha llamado la señora Llana. Llámele por teléfono por favor antes de las cinco. 375 89 62.

2 **a** Lee los recados y escribe las conversaciones originales según el modelo en la actividad 1.

A

Hotel Miramar
Fecha: *15 de julio*
Recado para: *Sr Velázquez*
Habitación número: *250*
Ha llamado su hijo Alfonso. Llámele mañana por la mañana antes de las diez. 237 16 25.

B

Hotel Miramar
Fecha: *17 de junio*
Recado para: *Sra Frontón*
Habitación número: *175*
Ha llamado la señora Gimeno. Llámele mañana a la hora de comer. 389 51 04.

b Ahora practica las conversaciones con tu pareja.

3 ¿Qué recado deja cada persona?

Escucha los recados e identifica la imagen correcta.

A

B

C

D

marie claire
número especial
10
años
LO CELEBRAMOS CON DIAMANTES PARA TI Y CON UN HOMBRE MUY ESPECIAL EN PORTADA
¡NO TE LO PIERDAS!

4 Contra el reloj.

Descifra estos recados en menos de tres minutos.

A

antes la las Robles de ocho de tarde señor Llame al

B

¿Podría en al Gil oficina? señor llamar su

C

dos La en a le las el López encontrará señora hotel

5 ¿Has entendido el recado?

Escucha las conversaciones y rellena una papeleta para estas personas.

Pepe Alonso

Los señores Montoro

Señora Galván

6 **a** ¿Qué quiere Isabel?
Lee esta conversación.

– Hotel Marítimo, ¿dígame?
= Buenos días. ¿Puedo hablar con el señor Clarín, habitación 205?
– Lo siento pero salió esta mañana. Volverá esta tarde. ¿Quiere dejarle un recado?
= Sí. Por favor, dígale que le ha llamado su hermana Isabel. Quería invitarle a jugar al tenis mañana. Pasaré a recogerle en el hotel si quiere jugar. Si no quiere, que me llame. Voy a estar en casa esta tarde.
– Muy bien, señora. ¿Quiere dejarme su número de teléfono, por favor?
= Sí, es el 392 08 56.
– Muchas gracias señora, adiós.

b Ahora escoge las frases correctas para escribir el recado.

Llámele si no quiere jugar

Estará en casa mañana si quiere usted jugar

Estará en casa esta tarde

Quiere saber si usted podrá jugar al tenis mañana

Ha llamado esta mañana su hermana Isabel

Su hermana salió esta mañana

Su hermana jugó al tenis

Le recogerá si quiere jugar

Hotel Marítimo

Fecha: 20 de agosto
Recado para: Sr Clarín
Habitación número: 205

....

....

....

7 **a** ¿Por qué llamó Julia? Escucha y lee el recado.

Soy Julia Olana. Quiero dejar un recado para la señora Cueto.
Me interesa el puesto de secretaria. Estaré en casa esta tarde si me quiere llamar.
Mi número de teléfono es el 295 95 92.

b Escucha los recados e identifica la imagen correspondiente.

A

B

C

D

Objetivo 3: **ponerte en contacto por teléfono, fax o correo electrónico**

1 Todavía estás trabajando en la recepción de un hotel.
Escucha la conversación y anota lo que quisiera la señora Latorre.

– Hotel Santa Cruz, ¿dígame?
= Quisiera **reservar una habitación** para el 14 de julio.
– Sí, señora, ¿para cuántas personas?
= Para una persona. Y quisiera **una habitación con baño**.
– ¿Para cuántas noches, señora?
= **Para una noche**.
– ¿Su nombre, por favor?
= Sí, soy la señora Latorre. L-A-T-O-R-R-E.
– Gracias, señora Latorre. ¿Podría usted **confirmar la reserva** por fax o correo electrónico?
= Sí, desde luego. Le mandaré un fax. ¿Podría darme su número de fax?
– Sí, es el 365 92 15.
= 365 92 15. Muy bien. Le mandaré el fax en seguida.
– Muchas gracias.

reservar	to book
confirmar la reserva	to confirm the booking
una habitación individual	a single room
con balcón/baño	with a balcony/bath
con cama de matrimonio	with a double bed
con dos camas	with two beds
con ducha	with a shower

para una noche	for one night
para dos noches	for two nights
para una semana	for one week
para dos semanas	for two weeks

desde luego	of course
en seguida	straight away
mandar	to send

2 ¿Qué tipo de habitación quieren?
Escucha las conversaciones e identifica las imágenes que corresponden.

A

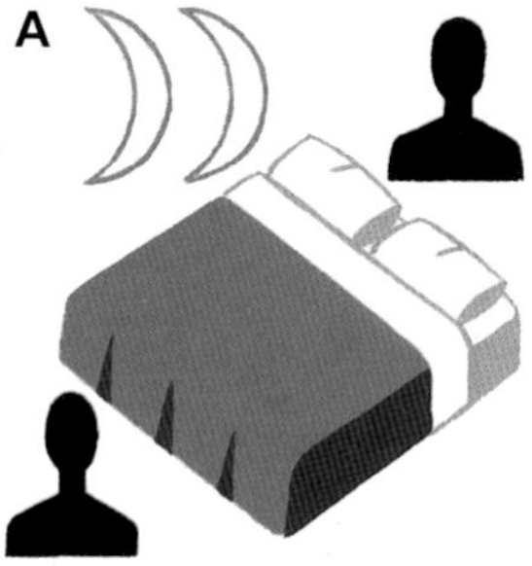

B

C

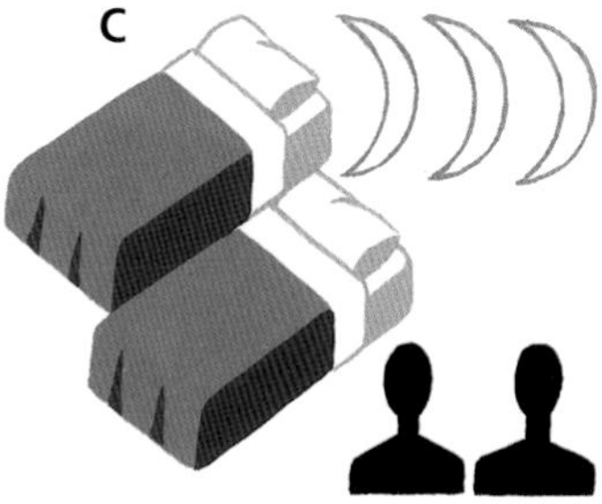

D

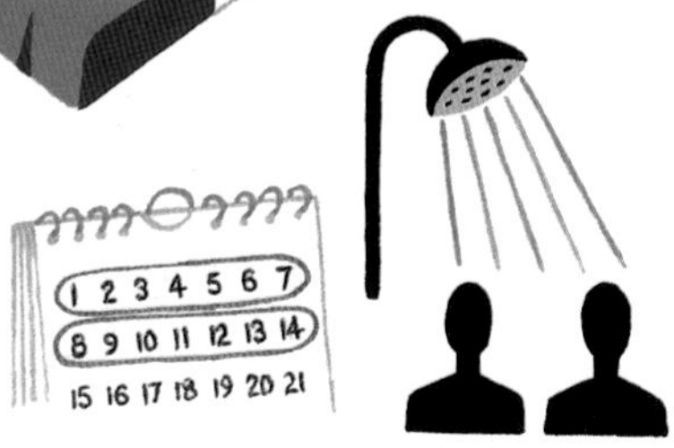

E

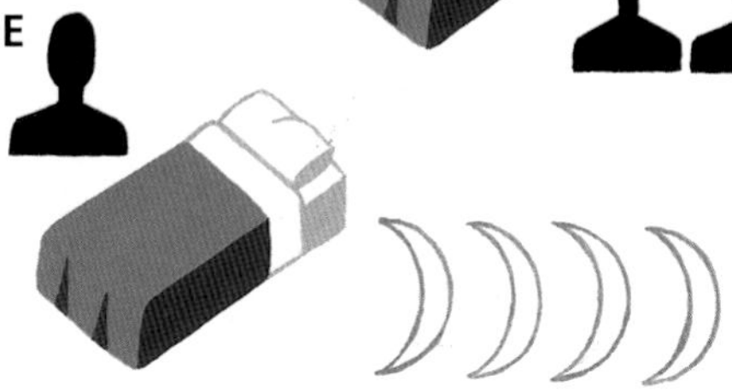

3 **a** ¿Sabrías escribirla?
Lee los fax y escribe las conversaciones originales.

A

De: Brian Harmer
A: Hotel Flores
Num. de Fax: 00 34 5 259 9011

Quisiera reservar una habitación con dos camas para cuatro noches. Llegaremos el 8 de septiembre.

B

De: Leslie Hamilton
A: Hotel Paseo Marítimo
Num. de Fax: 00 34 83 854 7305

Quisiera confirmar nuestra reserva para el 22 de agosto para tres noches; una habitación con cama de matrimonio con ducha y balcón y una habitación individual.

b En compañía.
Ahora practica las conversaciones con tu pareja.

4 ¿Sabes mandar un fax? Escucha la conversación y escribe el fax.
Para organizarte, primero toma apuntes bajo estas categorías:

Apellido: ____________________

Número de noches: ____________

Tipo de habitación: ____________

Fecha de llegada: ______________

5 ¡Hay unos errores!
Lee este fax y, con la ayuda de los símbolos, escríbelo bien.

De: Louise Carlton

A: Hotel Intercontinental, Madrid

Quisiera reservar una habitación doble con baño para dos personas. Llegaremos el 24 de abril y queremos pasar tres noches en el hotel.

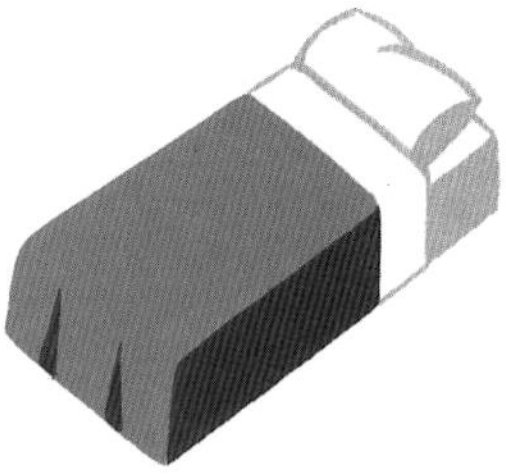

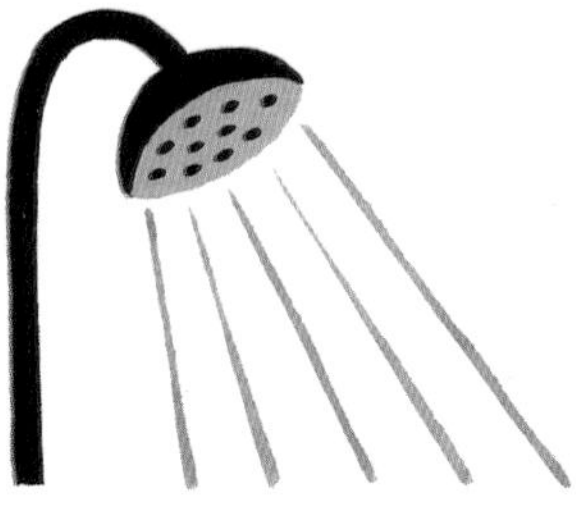

6 **a** Una llamada telefónica.
Escucha la conversación.

– Buenas tardes, señora. ¿Qué desea?
= Buenas tardes. ¿Hay un teléfono público en el hotel?
– Sí, señora, mire, allí hay uno.
= **¿Acepta monedas o teletarjetas?**
– Las dos, monedas y teletarjetas.
= Excelente. ¿Podría darme monedas y una teletarjeta de mil pesetas?
– Sí, señora. Aquí tiene cuatro monedas de veinticinco pesetas y una teletarjeta de mil pesetas.
= Muchas gracias.

Acepta. . .	It takes. . .
monedas	coins
una teletarjeta	phonecard

un teléfono público	public phone
mire, allí hay uno	look, there's one there

b Escucha la conversación e identifica la imagen correcta.

A

B

C

7 **a** ¿Cómo pagará la llamada este señor?
Escribe la conversación en el orden correcto.

– Aquí tiene.
– Sólo teletarjetas.
– ¿Acepta monedas o teletarjetas?
– Sí, señor, allí hay uno, al lado del bar.
– Muy bien. ¿Podría darme una teletarjeta de dos mil pesetas?
– Buenas tardes, señor. ¿Qué desea?
– Muchas gracias.
– Buenas tardes. ¿Hay un teléfono público en el hotel?

b En compañía.
Ahora practica la conversación con tu pareja.

Para leer

1 Hoy en día muchas personas usan el Internet para mandar y dejar recados, sobre todo si buscan amigos en otras partes del mundo. Aquí hay una selección de mensajes del Web de jóvenes españoles y sudamericanos. ¿A quién te gustaría contactar por correo electrónico, y por qué?

Nombre: Juan López López
Desde: Barcelona
Hora: 1998-07-27 19:24:00
Comentarios: Me llamo Juan y como habréis podido comprobar, soy nuevo en esto del Internet y el 'chat', y por ello pienso que ésta puede ser una página interesante. Vale.

Nombre: Alejandro Calle Otero
Desde: Popayán - Colombia
Hora: 1998-07-27 07:56:00
Comentarios: Soy estudiante de medicina aquí en mi ciudad y la verdad es que tengo acceso a Internet desde apenas hace 2 meses, por lo tanto no soy muy experto, pero bueno, creo que con el tiempo lo seré. Tengo 23 años y quisiera hacer amigos y amigas, y sobre todo compartir información.

Nombre: Jaime Tinoco
Desde: España
Hora: 1998-07-27 16:52:00
Comentarios: Me llamo Jaime, tengo 18 años y soy estudiante. Me gustaría mantener correspondencia en español o inglés con personas próximas a mi edad.

Nombre: María Elena Retena
Desde: Veracruz, Mexico
Hora: 1998-07-26 18:20:00
Comentarios: Soy profesora casada, y tengo 23 años. Me gustaría que me escribieran personas con mis características. Que sean de cualquier parte del mundo y que hablen español. Me gusta todo tipo de música, especialmente la romántica. Prometo contestar a todos.

Nombre: Miguel Angel Rodá
Desde: Valencia, España
Hora: 1998-07-26 18:00:00
Comentarios: Hola, Amigos. Aquí un ciudadano del mundo con ganas de conocer a gente nueva. Abrazos para ellos, besos para ellas.

¡Enhorabuena! Ahora sabes cómo. . . | Congratulations! Now you know how to. . .

Objetivo 1: **llamar por teléfono y contestar**	Objective 1: **make a telephone call and reply**
¿Dígame?	Hello?
¿Puedo hablar con el señor Sánchez?	Can I talk to Mr Sánchez?
¿De parte de quién?	Who's calling?
Está ocupado/a.	He/she's busy.
¿Quiere dejarme su número de teléfono / llamar más tarde?	Would you like to leave me your telephone number/ ring later?
A ver si lo tengo bien.	Let's see if I've got it right.
Le llamará lo antes posible.	He'll call you as soon as possible.
Soy Fernando Sánchez.	It's Fernando Sánchez speaking.
Me ha llamado usted esta mañana.	You called me this morning.

Objetivo 2: **dejar y recibir un mensaje telefónico**	Objective 2: **leave and take a telephone message**
La señora Blanch no contesta.	Mrs Blanch isn't answering.
¿Quiere dejarle un recado?	Do you want to leave her a message?
Dígale que ha llamado la señora Llana.	Tell her that Mrs Llana phoned.
Que me llame ella, por favor.	Ask her to call me, please.
¿A qué hora quiere que le llame?	What time do you want him/her to call you?
A cualquier hora antes de las cinco de la tarde.	Any time before 5 o'clock this afternoon.
Le diré que le llame cuando vuelva.	I will tell him/her to call you when he/she gets back.

Objetivo 3: **ponerte en contacto por teléfono, fax o correo electrónico**	Objective 3: **get in touch by phone, fax or e-mail**
¿Su nombre, por favor?	Can you give me your name, please?
Soy la señora Latorre.	I'm Mrs Latorre.
Quisiera reservar una habitación con baño.	I would like to book a room with a bath.
¿Podría usted confirmar la reserva por fax o correo electrónico?	Could you confirm the booking by fax or e-mail?
¿Podría darme su número de fax?	Could you give me your fax number?
Le mandaré un fax en seguida.	I'll send you a fax straight away.
una habitación individual; con balcón; con dos camas, con cama de matrimonio, con ducha	a single room; with a balcony; with two beds; with a double bed; with a shower
¿Hay un teléfono público en el hotel?	Is there a public phone in the hotel?
¿Acepta teletarjetas o monedas?	Does it take phonecards or coins?
¿Podría darme una teletarjeta de mil pesetas?	Could you give me a 1000 peseta phonecard?

Unidad 11

Buen viaje

En esta unidad vas a aprender a:	In this unit you are going to learn to:
• viajar por transporte público	• travel by public transport
• sacar billetes	• buy tickets
• comprar gasolina y dar información sobre una avería o un accidente	• buy petrol and report details of a breakdown or an accident

Objetivo 1: **viajar por transporte público**

1 Estás en Nerja y vas a trabajar en un hotel en Ciudadela en la isla de Menorca. Vas a una agencia de viajes.

¿Cómo puedes ir a Ciudadela? Escucha la conversación.

p157 comparative/superlative

– Hola. Necesito ir a Ciudadela en Menorca. ¿Cómo puedo llegar allí?
= Bueno, **lo más rápido** sería **en avión**, pero también es **lo más caro**.
– Y, ¿cuánto me costaría?
= ¿Ida y vuelta?
– No, ida sólo.
= Vamos a ver. Eso le costaría 32.000 pesetas.
– Es demasiado caro. ¿No hay algo más barato?
= Sí, sería menos caro ir **en tren** hasta Valencia. En Valencia podría coger un barco a Mahón.
– ¿Mahón?
= Sí, es **el puerto** más importante de Menorca.
– Y, ¿hay un tren de Mahón a Ciudadela?
= No. Pero puede ir **en autocar** o **en taxi**. El taxi es más cómodo que el autocar pero es mucho más caro.
– Y ¿cuánto me costaría en autocar?
= Bueno, unas 2.000 pesetas.

Es. . .	It's. . .
lo más barato	the cheapest
lo más caro	the most expensive
lo más cómodo	the most comfortable
lo más lento	the slowest
lo más práctico	the most practical
lo más rápido	the quickest

en autobús	by bus
en autocar	by coach
en avión	by plane
en barco	by boat
en bicicleta	by bike
en coche	by car
en metro	on the underground
en moto	by motorbike
a pie	on foot
en tranvía	by tram
en tren	by train
en taxi	by taxi

el aeropuerto	airport
la autopista	motorway
la carretera	main road
la estación de autobuses	bus station
la estación de metro	underground station
la estación de trenes	train station
la parada de autobús	bus stop

2 Primero lee el ejemplo. Luego elige un medio de transporte, y con la ayuda de las imágenes escribe otras preguntas similares. ¿Cuántas preguntas puedes hacer en cinco minutos?

Por ejemplo: **¿Hay un autobús del puerto a la estación de trenes?**

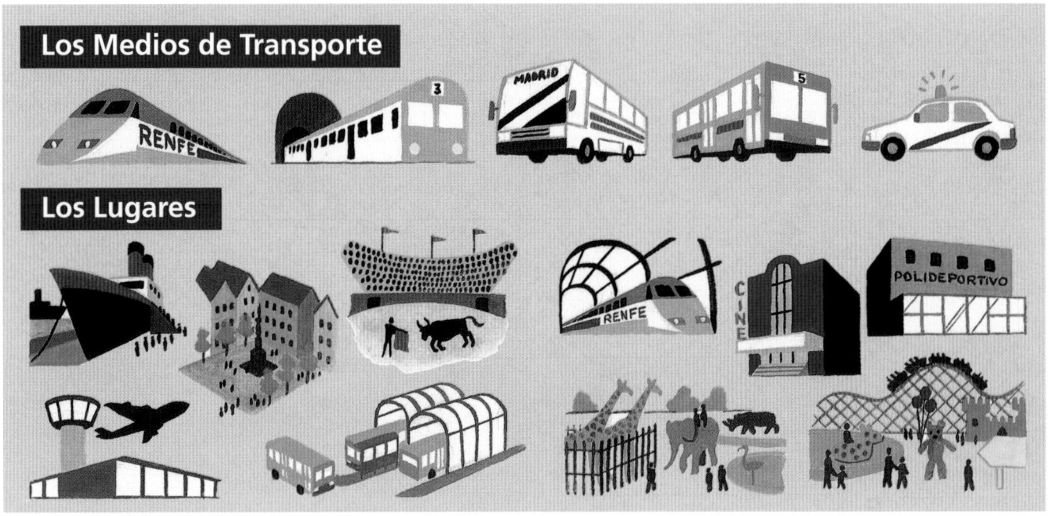

3 **a** ¿Dónde puedo coger el autobús?

Escucha y lee esta conversación. ¿Dónde está la parada de autobús?

– Perdone, señorita.
= ¿Sí?
– ¿Dónde puedo coger el autobús que va a la estación de trenes, por favor?
= Pues, hay una parada en la Plaza Mayor.
– Y, ¿qué autobús es?
= Es el número siete, creo.
– Muy bien. Muchas gracias.
= De nada.

b Practica la conversación con tu pareja. Luego haz otras conversaciones similares con la ayuda de estos símbolos. Practícalas también, cambiando de turno con tu pareja.

A

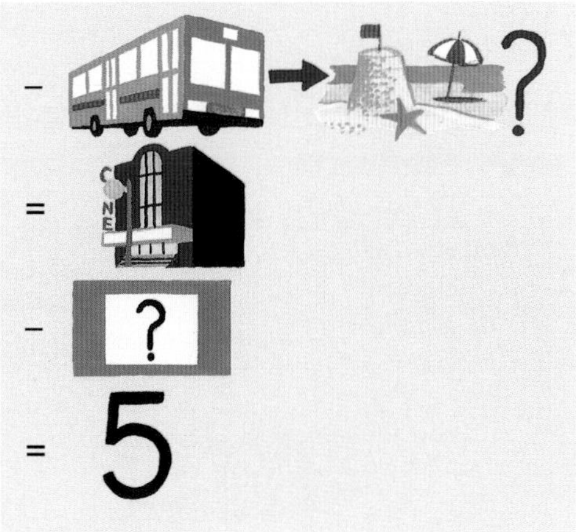

B

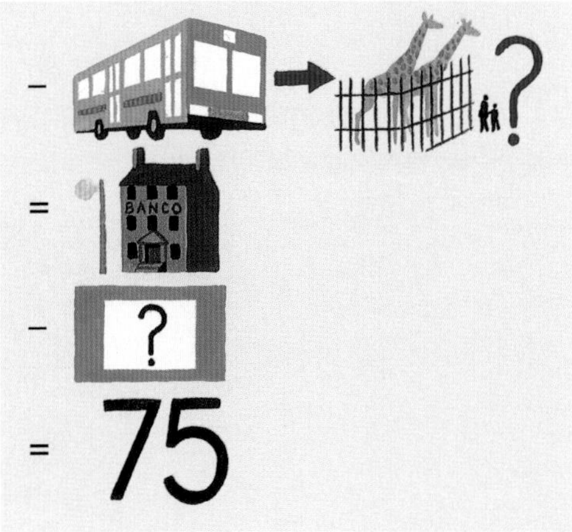

4 **a** ¿Qué opinas del transporte?
Primero empareja estas frases.

El tren es
El avión es
El autobús es
El coche es
La bicicleta es

lo más cómodo.
lo más práctico.
lo más barato.
lo más caro.
lo más rápido.

b ¿Piensan igual estos jóvenes?
Escucha las conversaciones y anota sus respuestas para comparar.

5 ¿Cómo prefieres viajar? ¿Por qué?
Explica tus preferencias con la ayuda de estas frases.
Por ejemplo: ***Voy al instituto en autobús porque es lo más rápido.***

Preferencia	Razón
Voy al instituto en. . .	porque es lo más. . .
Prefiero viajar en. . .	
Voy al centro en. . .	
Si voy a España me gusta ir en. . .	

6 ¿Y tus compañeros de clase?
Pregunta a tus amigos cómo les gusta viajar. Anota sus respuestas. Estas frases te ayudarán.

¿Cómo vas al instituto?
¿Cómo prefieres viajar?
¿Te gusta el autobús?
¿Por qué?
¿Por qué no?

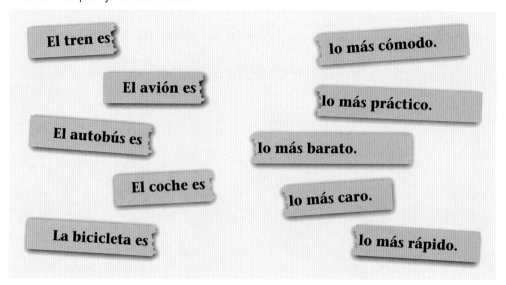

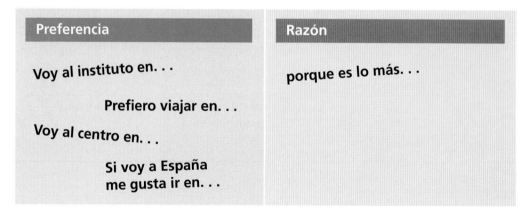

Objetivo 2: **sacar billetes**

Estás en la estación de RENFE. Ahora vas a sacar tu billete para Valencia.

1 ¿Qué tipo de billete sacas? Escucha la conversación.

– Hola, ¿qué desea?
= **Un billete de ida** a Valencia.
– ¿En qué clase?
= En segunda.
– En segunda. Y, ¿cuándo quiere viajar?
= Hoy, por favor.
– ¿Quiere coger **el próximo tren**?
= Sí. ¿A qué hora sale?
– **Hay un retraso**. Sale a las tres menos cinco de la tarde.
= Y, ¿a qué hora llega a Valencia?
– A las ocho menos veinticinco.
= Vale.
– Son 3.400 pesetas.
= Gracias. ¿De qué **andén** sale el tren?
– Andén dos, **vía** uno.
= Gracias. **¿Dónde están los servicios**, por favor?
– En **la cantina**.
= Muchas gracias, adiós.

un billete de ida	single ticket
un billete sencillo	single ticket
un billete de ida y vuelta	return ticket
un billete de primera clase	first class ticket
un billete de segunda clase	second class ticket

el primer tren	the first train
el próximo tren	the next train
el último tren	the last train
hay un retraso	there's a delay

Un poco de cultura

RENFE is the name of the Spanish railway company. The initials stand for Red Nacional de Ferrocarriles Españoles. The latest high speed train, AVE (Alta Velocidad Española), was introduced on 21 April 1992. As well as being fast and comfortable it is also punctual. If an AVE train is more than 5 minutes late, RENFE will reimburse the cost of the ticket to the passenger if the company is responsible for the delay!

¿Dónde está. . .	Where is. . .
el andén dos?	platform 2?
el aparcamiento?	the car park?
la cantina?	the station buffet?
la consigna?	the left luggage?
el despacho de billetes?	the ticket office?
la oficina de información?	the information office
el paso subterráneo?	the underpass?
la sala de espera?	the waiting room?
la salida?	the exit?
la vía uno?	track 1?
¿Dónde están. . .	Where are. . .
los servicios para caballeros/señoras?	the gentlemen's/ ladies' toilets?

2 **a** Escucha las conversaciones. ¿Qué grupo de símbolos representa la parte del cliente en cada conversación? Ahora practica las conversaciones con tu pareja.

A

B

3 Seis viajeros sacan sus billetes.
Escucha las conversaciones. ¿Quién . . .

A **saca un billete de ida?**

B **viaja en primera clase?**

C **paga 3.500 pesetas?**

D **quiere ir a Oviedo?**

E **quiere coger el AVE?**

F **cogerá el tren mañana?**

Por ejemplo: **1–D**

4 En la entrada de la estación unos viajeros piden ayuda.
Escucha las conversaciones y anota la letra del sitio que busca cada persona.
Por ejemplo: **1–C**

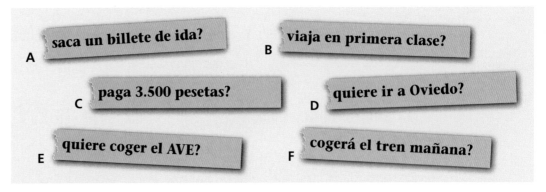

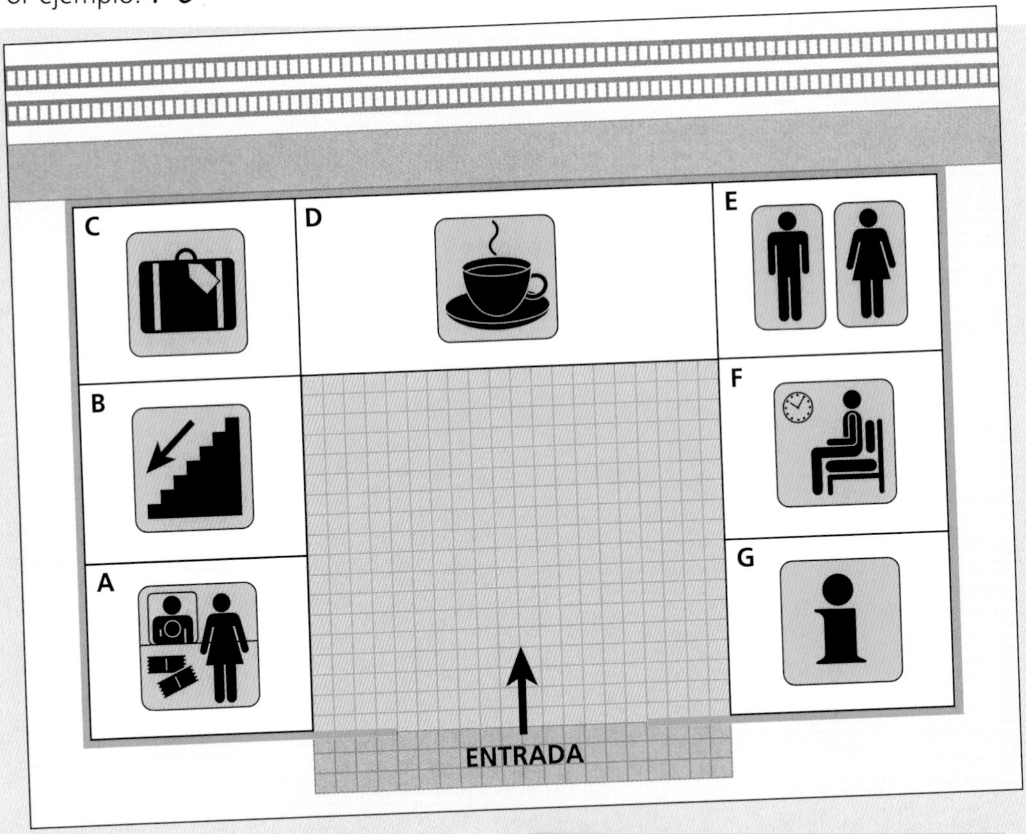

la sala de espera **los servicios**
la cantina **la consigna**
el paso subterráneo
el despacho de billetes

al final	at the far end
allí	over there
allí enfrente	straight opposite
allí a la derecha	there on the right
allí a la izquierda	there on the left
aquí mismo	right here
dentro de la cantina	inside the station buffet

5 ¿Cogerías el tren correcto?

Escucha los anuncios e identifica la pantalla correcta.

Por ejemplo: **1–C**

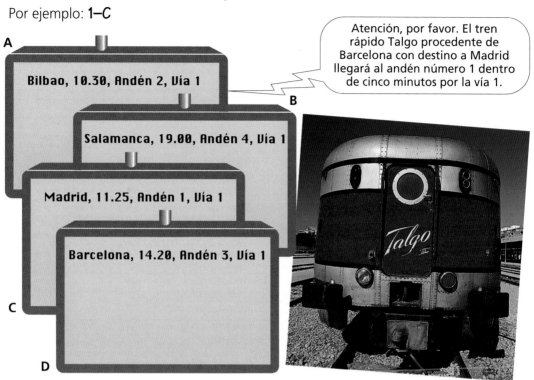

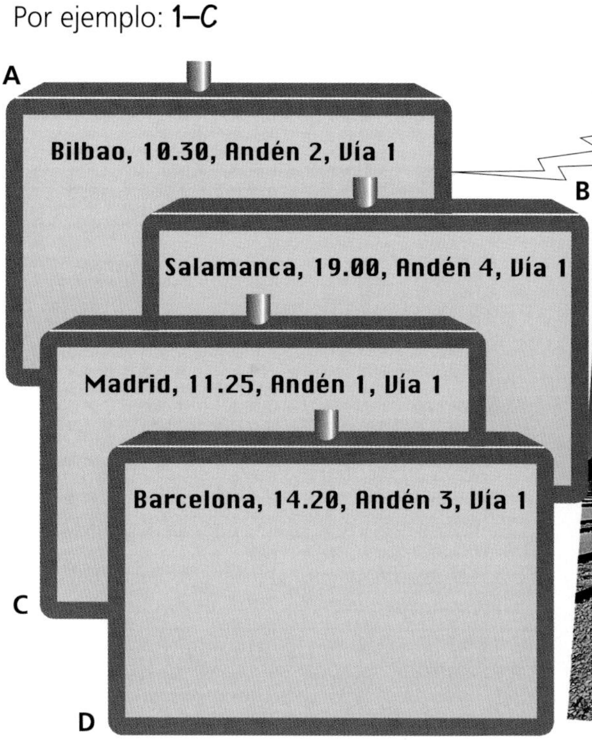
A
Bilbao, 10.30, Andén 2, Vía 1
B
Salamanca, 19.00, Andén 4, Vía 1
C
Madrid, 11.25, Andén 1, Vía 1
D
Barcelona, 14.20, Andén 3, Vía 1
Atención, por favor. El tren rápido Talgo procedente de Barcelona con destino a Madrid llegará al andén número 1 dentro de cinco minutos por la vía 1.

Talgo

6 ¡Viajar es fácil!

Si sabes viajar en tren es fácil hacerlo también en autocar. Las frases que necesitas son las mismas. En las ciudades grandes las estaciones de autocar también tienen andenes. Para ver lo fácil que es, escribe esta conversación en el orden correcto y practícala con tu pareja

Persona A – verde
Persona B – azul

- Llega a las ocho.
- Aquí tiene. 3.400 pesetas. ¿A qué hora sale?
- ¿A las ocho? Vale. Y ¿de qué andén sale el autocar?
- Del andén dos.
- En segunda.
- ¿En primera o segunda clase?
- Y ¿a qué hora llega a Gerona?
- Son 3.400 pesetas.
- ¿Qué desea?
- Un billete de ida a Gerona por favor.
- Sale a las tres menos cinco de la tarde.

Objetivo 3: **comprar gasolina y dar información sobre una avería o un accidente**

1 Estás en Menorca y tienes un día libre. Alquilas un coche con unos amigos para ver la isla. Más tarde compras gasolina en una estación de servicio. ¿Sin plomo, súper o normal?
Escucha la conversación.

– Buenos días. ¿Qué le pongo?
= **Lleno sin plomo**, por favor.
– Ya está. Son 3.550 pesetas.
= **¿Quiere comprobar los neumáticos?**
– Sí, ahora mismo.

lleno, por favor	full tank, please
la gasolina	petrol
el gasóleo	diesel
treinta litros de sin plomo	thirty litres of unleaded
dos mil pesetas de súper	2000 pesetas of 4 star/super

¿Quiere comprobar. . .	Would you check. . .
los neumáticos?	the tyres?
el agua?	the water?
el aceite?	the oil?
Quisiera alquilar un coche.	I'd like to hire a car.

2 **a** ¿Qué quieren los clientes?
Escucha las conversaciones e identifica la imagen correcta.
Por ejemplo: **1–E**

A

B

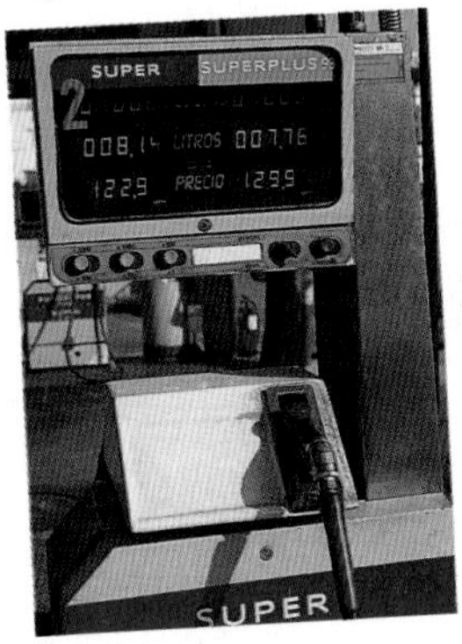

C

D

E

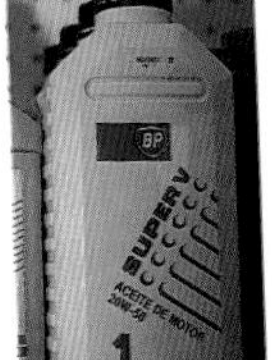
F

b Ahora escucha las conversaciones otra vez y repite la parte del cliente.

3 **a** ¡Te toca a tí!

Con la ayuda de esta información prepara dos conversaciones.

b Ahora practica las conversaciones con tu pareja.

Un poco más tarde, a doce kilómetros de Ciudadela, el coche tiene una avería. Llamas a la compañía de alquiler.

4 ¿Cuál es el problema con el coche? Escucha la conversación.

p158 ¿acabar de?

– Eurocoches, ¿dígame?
= Hola, mi nombre es García. Acabo de tener un problema con el coche que he alquilado esta mañana.
– Bueno, vamos a ver. ¿Dónde está usted?
= Estoy a unos doce kilómetros de Ciudadela.
– ¿A dos kilómetros de Ciudadela?
= No, doce.
– Ah, bien. Y, ¿cuál es el problema exactamente?
= Pues, **los frenos no funcionan bien** y **el motor hace mucho ruido**.
– De acuerdo. Quédese con el coche. Nuestro mecánico va en seguida. Llegará dentro de media hora.
= Gracias.

los frenos no funcionan	the brakes are not working
las luces no funcionan	the lights are not working
el motor hace mucho ruido	the engine is making a lot of noise
el motor no anda bien	the engine is not working well
el motor se calienta mucho	the engine is very hot
el parabrisas está roto	the windscreen is broken
tengo un pinchazo	I've got a puncture

acabar de	to have just
tener una avería	to have a breakdown
quedarse	to stay
dentro	within

5 ¡Más problemas!

Escucha las conversaciones e identifica el problema que tiene cada persona.

Por ejemplo: **1–B**

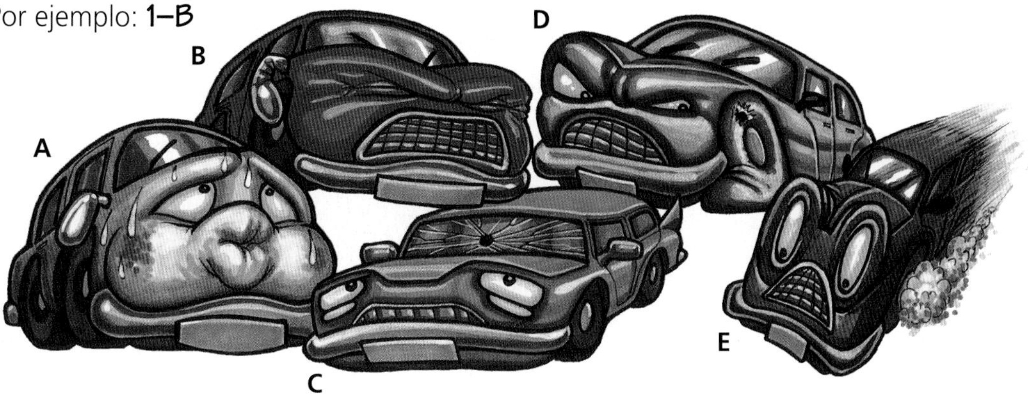

6 **Roleplay**

Your hire car has broken down five kilometres from Mahón. El motor se calienta y tienes un pinchazo. Tienes que llamar a la compañía de alquiler para explicar el problema. Con tu pareja, imagina la conversación y practícala.

7 Tienes un problema con el coche. Escucha la cinta y con la ayuda del dibujo contesta las preguntas del mecánico.

8 Ha habido un accidente. ¿Qué ha pasado exactamente? Escucha la conversación.

– Bueno, vamos a ver. ¿Qué ha pasado aquí?

= Pues, he tenido un accidente. Un autobús **saltó el semáforo, chocó con mi coche** y continuó sin parar.

– ¿Vio usted la matrícula del autobús?

= Sí. Era B 47298 CF

– ¿B 47298 CF?

= Sí, eso es.

– Y, ¿tiene usted su **documentación**, por favor?

= Sí. Aquí está mi **pasaporte**, mi **carnet de conducir** y la **póliza de seguro**.

– Vale. ¿Hubo **testigos**?

= Sí. Tengo el nombre y la dirección de una persona que lo vio todo.

chocar con	to crash into
continuar sin parar	to carry on without stopping
derrapar	to skid
salir de la carretera	to leave the road
saltar el semáforo	to jump the lights
tener un accidente	to have an accident

el carnet de conducir	driving licence
la documentación	papers
la matrícula	car registration number
el pasaporte	passport
la póliza de seguro	insurance policy
un testigo	witness

9 ¿Qué pasó?

Si eres testigo de un accidente tienes que saber contestar la preguntas de la policía. Anota lo que dirías para cada uno de estos accidentes.

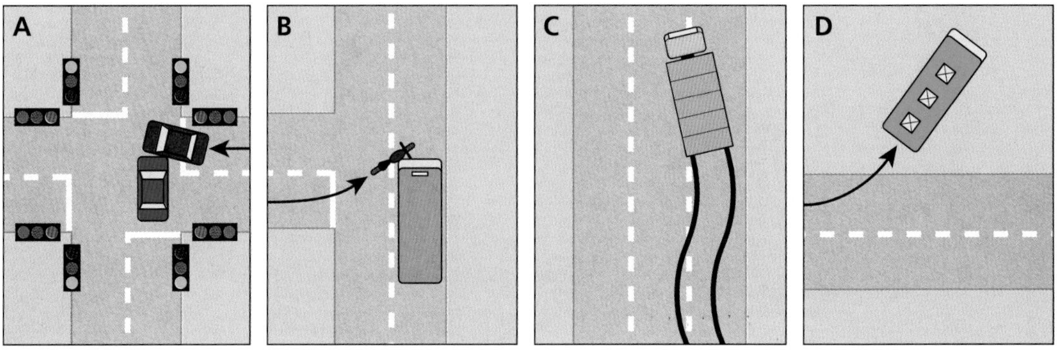

Para leer

1 Estudia estos billetes y contesta las preguntas. Anota la letra del billete…

1 que cuesta tres mil setecientas cincuenta pesetas.
2 para un tren que sale a las dos y media de la tarde.
3 para una persona que quiere ir a Santiago.
4 para una persona que quiere viajar en tren en primera clase.
5 para un autocar que sale a las diez menos cuarto de la mañana.
6 para una persona que quiere viajar en tren en segunda clase.

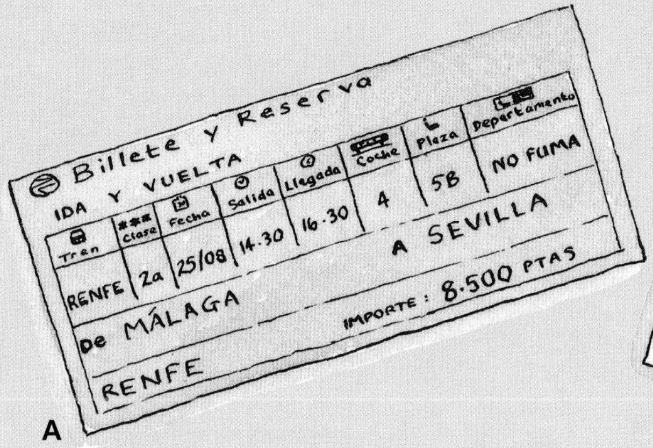

A

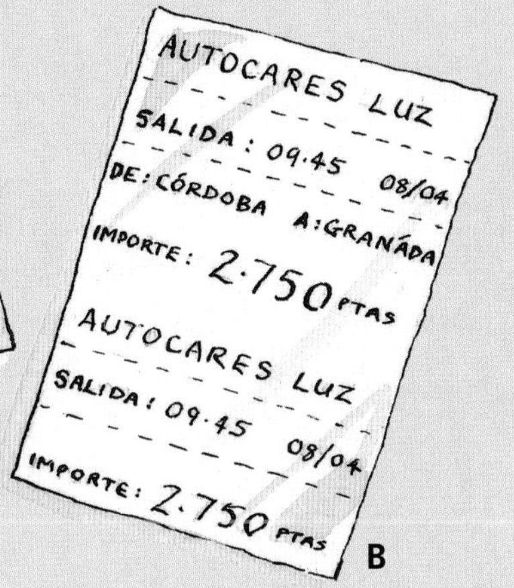

B

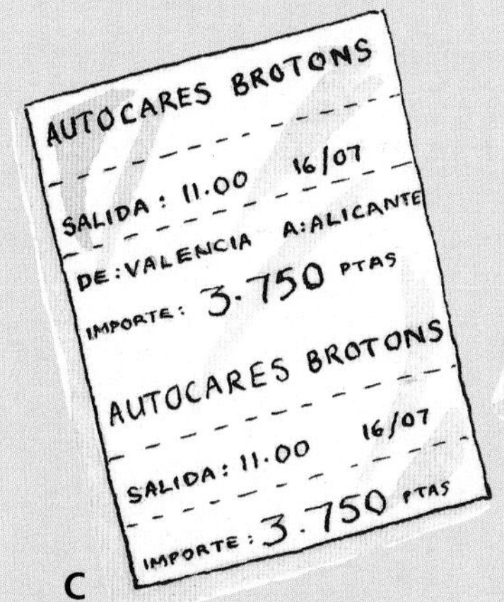

C

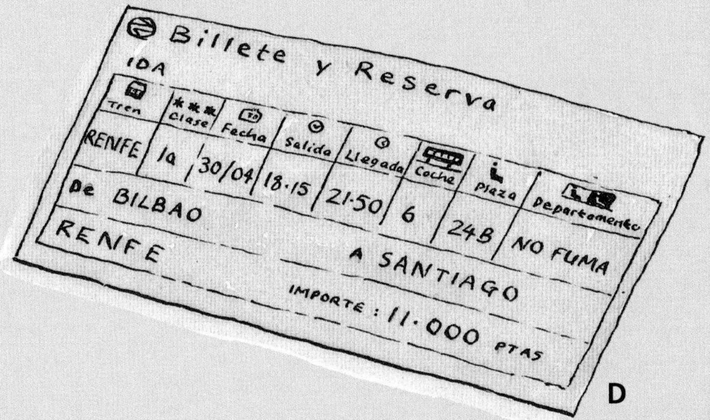

D

¿Lo sabías?

Para llegar hasta Madrid y moverse por sus calles, existen varios medios de transporte. Hay 11 líneas de metro, 150 líneas de autobús y 10 líneas de tren de cercanías. También se puede alquilar un coche o coger uno de los 15,000 taxis que existen en Madrid.

El AVE es el tren de alta velocidad de España. Pertenece a la Red Nacional de Ferrocarriles Españoles, RENFE. Hay una línea de alta velocidad entre Madrid y Sevilla, y están preparando otra línea entre Barcelona y Valencia. La velocidad máxima para el viaje Madrid – Sevilla es 300km/h, y para Barcelona – Valencia será 220km/h.

¡Enhorabuena! Ahora sabes cómo. . . | Congratulations! Now you know how to. . .

Objetivo 1: **viajar por transporte público**	Objective 1: **travel by public transport**
¿Cómo puedo llegar a Ciudadela?	How can I get to Ciudadela?
Lo más rápido/cómodo sería en avión.	The quickest/most comfortable way would be by plane.
¿Cuánto me costaría?	How much would it cost me?
¿Ida y vuelta?	Return?
Ida sólo.	Just a single.
Es demasiado caro. ¿Hay algo más barato/lento?	It's too expensive. Is there anything cheaper/slower?
El taxi es más práctico que el autocar.	The taxi is more practical than the coach.
¿Dónde puedo coger un autobús que va a la estación de trenes?	Where can I catch a bus to the train station?
Hay una parada en la Plaza Mayor.	There's a bus stop in the Main Square.
¿Qué autobús es?	Which bus is it?
Es el número siete, creo.	It's the number 7, I think.
el aeropuerto; la autopista; la carretera; la estación de metro	airport; motorway; main road; underground station
Objetivo 2: **sacar billetes**	Objective 2: **buy tickets**
¿Qué desea?	What do you want?
Un billete de ida a Valencia.	A single to Valencia.
¿En qué clase?	Which class?
En segunda/primera clase.	In second/first class.
¿Cuándo quiere viajar?	When do you want to travel?
¿Quiere coger el primer/próximo/último tren?	Do you want to catch the first/next/last train?
¿A qué hora sale?	What time does it leave?
Hay un retraso. Sale a las tres menos cinco de la tarde.	There is a delay. It leaves at five to three in the afternoon.
¿A qué hora llega?	What time does it arrive?
¿De qué andén sale el tren?	Which platform does the train leave from?
Sale del andén dos, vía uno.	It leaves from platform 2, track 1.
un billete sencillo; un billete de ida y vuelta	single ticket; return ticket
el aparcamiento; la cantina; la consigna; el despacho de billetes; la oficina de información; el paso subterráneo; la sala de espera; los servicios para caballeros/señoras	parking; buffet; left luggage office; ticket office; information office; underpass; waiting room; gentlemen's/ladies' toilets
Objetivo 3: **comprar gasolina y dar información sobre una avería o un accidente**	Objective 3: **buy petrol and report details of a breakdown or an accident**
¿Qué le pongo?	What can I get you?
Lleno de sin plomo.	A full tank of unleaded.
Treinta litros de gasóleo/súper.	Thirty litres of diesel/four star.
¿Quiere comprobar el aceite/el agua/los neumáticos?	Will you check the oil/water/tyres?
Tengo un problema con el coche que acabo de alquilar.	I have a problem with the car I've just hired.
¿Cuál es el problema exactamente? – ver p121	What exactly is the problem? – see p121
Ha habido/he tenido un accidente. – ver p122	There has been/I've had an accident. – see p122
la documentación; el carnet de conducir; la matrícula; el pasaporte; la póliza de seguro; testigos	papers; driving licence; car registration number; passport; insurance policy; witnesses

Unidad 12

Hacer la compra

En esta unidad vas a aprender a:	In this unit you are going to learn to:
• comprar ropa de sport	• buy casual clothes
• comprar comida	• buy food
• devolver artículos	• return goods

Objetivo 1: **comprar ropa de sport**

1 ¿Compras o no compras? Escucha la conversación.

En la calle:

– ¡Por favor! ¿Dónde está el mejor sitio para comprar **ropa de sport**?
= Hay unos grandes almacenes en el centro, enfrente del puerto.

En los grandes almacenes:

– ¿Dónde puedo comprar **un pantalón corto**?
= ¿Es para usted?
– Sí, es para mí.
= Entonces, mire en **la sección de ropa de señora** en **la primera planta**.

p159 personal pronouns

En la sección de ropa de señora:

– Por favor, ¿tiene este pantalón corto en **una talla mediana**?
= ¡Vamos a ver! Pues sí, aquí tiene.
– ¿Puedo probármelo?
= Sí, los probadores están allí detrás.

Te pruebas el pantalón corto y te gusta:

– Es bonito. Pero ¿tiene la misma talla en **azul oscuro**?
= Pues, sí. Aquí tiene.
– Muy bien. Me lo quedo entonces.

unos grandes almacenes	department stores
probar	to try on
me lo quedo	I'll take it.

la sección de. . .	
deportes	sports department
caballeros	gentlemen's department
ropa de señora	ladies' clothing department
los probadores	fitting room

la planta baja	ground floor
la primera planta	1st floor
la segunda planta	2nd floor
el sótano	basement

una talla grande	large size
una talla mediana	medium size
una talla pequeña	small size
la misma talla	the same size

un bañador	swimming costume
una camiseta	T shirt
un chandal	track suit
un pantalón corto	shorts
ropa de sport	casual clothing
un sombrero	hat

amarillo	yellow	negro	black
azul claro	light blue	rojo	red
azul oscuro	dark blue	rosa	pink
blanco	white	verde	green
marrón	brown		

2 En la sección de deportes.
Escucha esta conversación. ¿Qué quiere el chico? ¿Qué compra?

– Buenos días, señor. ¿Qué desea?
= Quisiera **unas zapatillas de deporte**, por favor.
– Muy bien. ¿Qué número gasta?
= Es el **cuarenta y cuatro**.
– De acuerdo. Y, ¿de qué color las quiere?
= Blancas.
– Pruébese éstas. ¿Qué tal están?
= Están bien. ¿Cuánto cuestan?
– Doce mil pesetas.
= ¡Huy! Son demasiado caras. ¿Tiene algo más barato?
– Lo siento. No tengo más en blanco.
= Bueno, las dejo entonces.

¿Qué número gasta?	What size (shoe) do you take?
Gran Bretaña	**España**
3	36
4	37
5	38
6	39
7	40
8	41
9	42
10	43

unas botas de fútbol	football boots
unas chanclas	flip flops
un par de sandalias	pair of sandals
unas zapatillas de deporte	trainers
unos zapatos	shoes

3 ¿Qué sección?
Escucha las conversaciones y empareja cada artículo con la sección que corresponde.

1

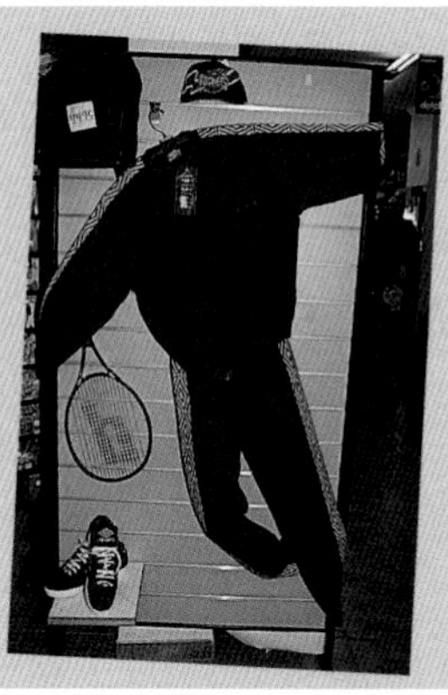
2

3

4

la planta baja
A

2a planta
B

1a planta
C

Sótano
D

4 Escucha las conversaciones e identifica la imagen correcta.
Por ejemplo: **1 –E**

5 **a** En compañía.

Mira el organigrama, escucha la conversación y sigue las flechas.

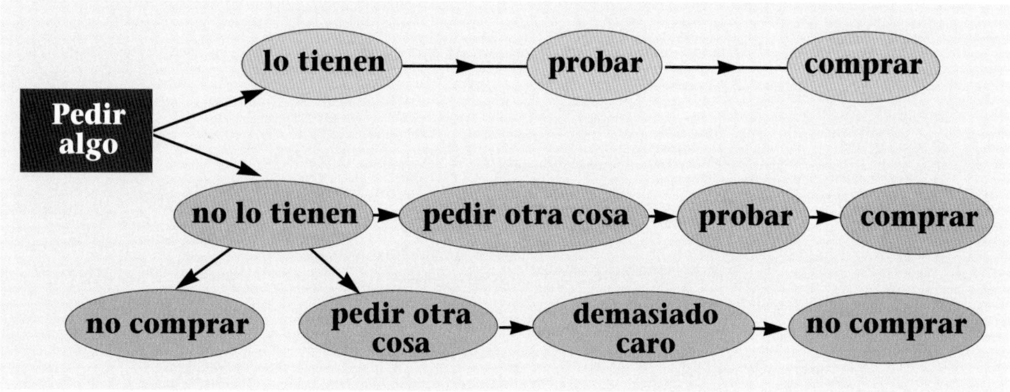

b Ahora usa el organigrama para hacer unas conversaciones con tu pareja.

Por ejemplo: A – **Quisiera un bañador rojo en una talla pequeña, por favor.**
B – **Lo siento, no tenemos.**
A – **Ah, qué pena. ¿Tiene bañadores verdes en esa talla, entonces?**
B – . . . . .

6 Mira estas fotos y lee lo que piensa cada persona. Imagina las conversaciones y practícalas con tu pareja.

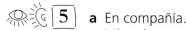

Objetivo 2: **comprar comida**

Una chica va a ir a la playa con unos amigos. Pero antes, quiere comprar algo para comer y beber.

1 Escucha la conversación. ¿Qué compra la chica?

– Hola, ¿tiene **queso**, por favor?

= Sí, los quesos están aquí. ¿Cuál quiere?

– **Un trozo** pequeño de ése.

= ¿Así?

– Sí, unos **doscientos gramos**.

= Vale. ¿Algo más?

– Sí, **una lata** de coca cola.

= ¿Eso es todo?

– No, póngame **medio kilo** de plátanos, por favor.

= Medio kilo de **plátanos**. ¿Quiere algo más?

– ¿Vende **pan**?

= No, lo siento. No lo vendemos.

– Pues, ¿dónde puedo comprar pan?

= En la tienda de enfrente.

– Ah, muy bien. Gracias. ¿Cuánto es todo?

= Son 650 pesetas.

– Tome.

= Gracias.

vendemos. . .	we sell. . .
aceitunas	olives
agua mineral	mineral water
. . . sin gas	still
. . . con gas	sparkling
galletas	biscuits
jamón	ham
leche	milk
limonada	lemonade
pan	bread
patatas fritas	crisps
queso	cheese
zumo de fruta	fruit juice
¿algo más?	anything else?

Póngame. . .	Give me. . .
una barra	loaf
un bote	tin/can
una botella	bottle
cien gramos	100 grammes
un kilo	kilo
medio kilo	half a kilo
una lata	tin/can
un litro	litre
una loncha	slice
un paquete	packet
un trozo	piece

una manzana	apple
un melocotón	peach
una naranja	orange
una pera	pear
un plátano	banana
un tomate	tomato
unas uvas	grapes

2 Escucha las conversaciones. Para cada cosa, indica si la tienen o no.
Por ejemplo: **1 – jamón – sí, melocotones – no.**

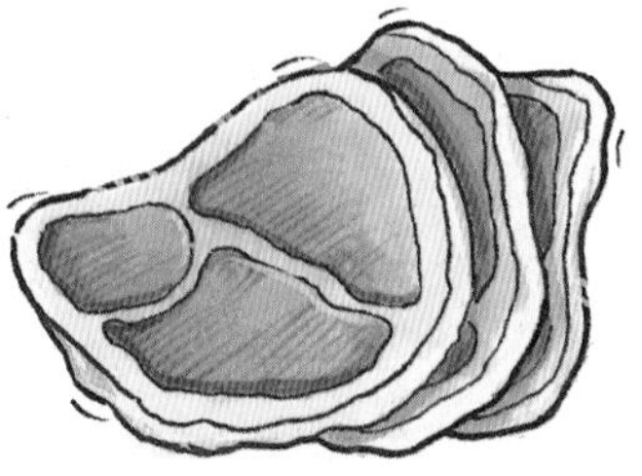

3 De compras.
Escucha esta conversación.
Con la ayuda de la foto completa la lista de compra. ¡Ojo! ¡El cliente no lo compra todo!

1 paquete de patatas fritas

4 En cadena. Trabaja por turnos con tu pareja para pedir algo de comida o bebida de esta selección. Cada persona tiene que repetir lo que dice la otra y luego añadir un artículo más a la lista.

5 No lo tienen todo.
Completa esta conversación y practícala con tu pareja.

– Hola, ¿  ?

= Aquí tiene. ¿Algo más?

– Sí, ¿ 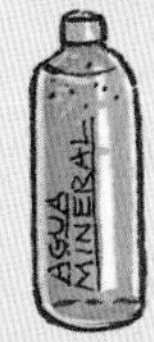 ?

= ¿Con o sin gas?

–  .

= Y, ¿cuántas botellas quiere?

– 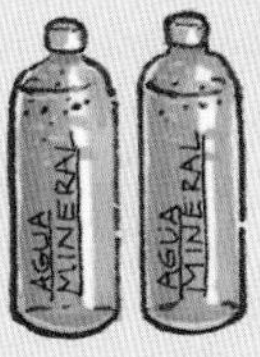 .

= Vale. ¿Algo más?

– Sí, ¿tiene  ?

= No, no tengo.

– ¿Dónde puedo comprar  ?

= En  .

– Vale, gracias. ¿  ?

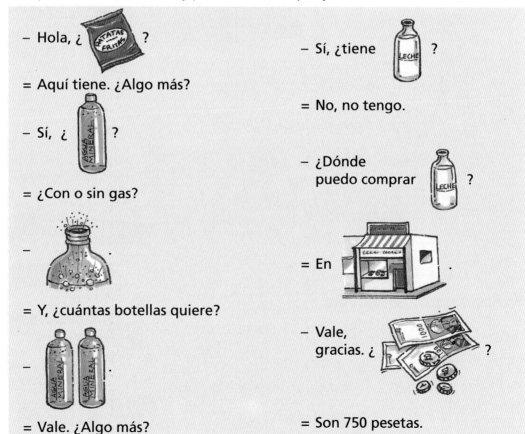

= Son 750 pesetas.

6 **a** Lee estas frases y escríbelas en el orden correcto para hacer una conversación en la tienda de comestibles.

- Pues, con gas no tenemos.
- Póngame seis.
- Sí. ¿Cuántas quiere?
- ¿Tiene naranjas, por favor?
- Buenos días. ¿Qué desea?
- ¿Algo más?
- Son 1300 pesetas.
- Sí. ¿Cuánto es?
- Sí, una botella de agua mineral con gas.
- Muy bien. ¿Eso es todo?
- Entonces, deme una botella sin gas.

b Ahora, escucha la conversación y repítela con tu pareja.

7 En compañía. Haz una conversación en la tienda de comestibles.

Persona A: Vas de compras con esta lista. Si la tienda no tiene lo que quieres, pide otra cosa o pregunta dónde lo puedes comprar.

2 kilos de naranjas
dos litros de leche
aceitunas
200 gramos de queso
4 lonchas de jamón
pan

Persona B: Trabajas en la tienda. No tienes todo lo que pide el cliente. Si no tienes algo, explica donde lo puede comprar. Estas frases te ayudarán.

¿Qué quiere?

Lo siento. No tengo. . .

No vendemos. . .

¿Algo más?

¿Eso es todo?

Objetivo 3: **devolver artículos**

1 ¿Entiendes estos anuncios?
Mira los anuncios y contesta las preguntas.

¡Señoras!
Ahorren hasta un **50%**
en ropa de sport
(camisetas, pantalones cortos etc)
CASA MUNDIROPA
sólo este sábado, 16 de marzo

A

Grandes rebajas en
"Discomercado"
todo el mes de agosto
no cerramos a mediodía

B

Oferta especial en Superbien
¡Galletas Carmen: paquete **185ptas!**
¡Aceitunas: lata grande **150ptas!**
¡Uvas: dos kilos **300ptas!**
cerrado fines de semana

C

En "Casa Mundiropa" se puede comprar bañadores.
a) ¿verdad?
b) ¿mentira?
c) ¿no se sabe?

"Discomercado" está abierto:
a) sólo por la tarde.
b) todo el día.
c) a medianoche.
d) sólo por la mañana.

Se puede comprar en "Superbien" los sábados.
a) ¿verdad?
b) ¿mentira?
c) ¿no se sabe?

2 La cliente no está contenta. ¿Por qué?
Ayer compraste un bolso en las rebajas. Vuelves a la tienda.

– Hola. ¿En qué puedo servirla?
= Hola. Compré este **bolso** aquí en **las rebajas** y **tiene un agujero**.
– ¿Puedo verlo, por favor? Ah sí. No hay problema. Podemos **arreglarlo**, si quiere.
= No, no tengo tiempo. ¿Podría usted **cambiármelo**?
– Lo siento, pero no nos quedan más como éste.
= En ese caso, ¿puede **devolverme el dinero**?
– ¿Tiene **el recibo**?
= Sí, aquí está.
– Un momento, señorita. Lo siento, pero el bolso era de **oferta especial**. No podemos devolverle el dinero.
= De acuerdo. Tiene que arreglarlo entonces. Gracias.

un bolso	bag
una camisa	shirt
una máquina de afeitar	electric razor
una máquina de fotos	camera
una radio	radio

tiene un agujero	it has a hole in it
no funciona	it doesn't work
está roto	it's broken/torn
está sucio	it's dirty
hay un problema	there's a problem
es demasiado grande/ pequeño/largo/ corto/ ancho/estrecho	it's too big/ small/long/short/ wide/narrow

arreglar	to mend
cambiar	to change
devolver el dinero	to refund one's money
oferta especial	special offer
las rebajas	sales
el recibo	receipt

3 ¿Cuál es el problema?
Escucha las conversaciones y anota el problema y el remedio.

Por ejemplo: A – **Problema – camiseta demasiado larga.**
Remedio – cambiarla.

4 ¿Podría cambiármelo?
Empareja cada dibujo con la frase que corresponde.

1 **Este pantalón corto tiene un agujero.**

2 **Estas zapatillas son muy anchas.**

3 **Este bolso está roto.**

4 **Esta camiseta es demasiado estrecha.**

5 Primero lee esta carta de queja. Luego copia y rellena la hoja de reclamación con la información necesaria.

c/ Pamplona 5, 4a
Granada

17 de julio.

Muy señor mío:

El 8 de julio compré una radio en su tienda pero cuando volví a casa encontré que no funcionaba. Me la cambiaron por otro modelo. Ahora hay un problema con la segunda radio. No funciona bien y hace un ruido raro. No estoy contento. ¿Puede devolverme el dinero, por favor? Todavía tengo el recibo.

En espera de sus noticias.

Le saluda atentamente,

Salvador Montoro.

Hoja de reclamación

Nombre del cliente: ____________________

Fecha de compra: ____________________

Artículo: ____________________

Recibo: Sí/No

Problema: ____________________

Acción a tomar: ____________________

6 Ahora con la ayuda de estas hojas de reclamación escribe las cartas de queja que recibió la tienda.

Nombre del cliente: *Marisa Plá*

Fecha de compra: *23/03*

Artículo: *bolso*

Recibo: Sí/No (circled: No)

Problema: *agujero*

Acción a tomar: *arreglar*

Nombre del cliente: *Ernesto Gual*

Fecha de compra: *19/10*

Artículo: *máquina de fotos*

Recibo: Sí/No (circled: Sí)

Problema: *rota*

Acción a tomar: *cambiar*

Para leer

1 De compras

¿Cuándo puedes ir a comprar?

En España las tiendas normalmente están abiertas de 9.00 a 13.30 y luego de 16.00 a 20.00 de lunes a sábado inclusive. Los grandes almacenes, como El Corte Inglés o Galerías Preciados, sin embargo, no suelen cerrar a mediodía.
Algunas tiendas pequeñas cierran en agosto para las vacaciones.

¿Cuál es el horario de los comercios en la ciudad donde tú vives? Escribe un párrafo para explicarlo a tu amigo español.

2

¿Dónde comprar?

Es muy cómodo ir de compras en uno de los grandes almacenes. Tienen de todo y puedes comprar todo lo que necesitas en una visita. Para saber donde buscar lo que quieres, consulta la guía.

GUÍA DE DEPARTAMENTOS

Planta 6	**Supermercado – Cafetería**
Planta 5	**Textil Hogar – Muebles – Tejidos** Decoración – Cuadros – Alfombras – Listas de boda
Planta 4	**Niñas – Niños – Bebés** Ropa – Uniforme para colegio – Todo para el bebé
Planta 3	**Juguetería – Fotografía – Deportes** Juguetes – Juegos – Ropa para deporte – Campo y playa – Caza y pesca
Planta 2	**Caballeros** Moda – Ropa interior – Sombreros – Zapatería
Planta 1	**Señoras** Moda – Lencería – Zapatería – Futura mamá – Ante y piel
Planta baja	**Complementos** Perfumería – Joyería – Bolsos – Discos – Librería – Papelería – Bombonería
Sótano 1	**Hogar** Electrodomésticos – Vajillas – Cristal – Menaje – Cubertería
Sótano 2	**Aparcamento**

¿A qué planta vas si quieres comprar una máquina de fotos; un chandal; unas sandalias; una máquina de afeitar; un paquete de galletas; una radio; un periódico; un pantalón corto para una chica de 10 años; un monopatín?

¡Enhorabuena! Ahora sabes cómo. . . / Congratulations! Now you know how to. . .

Objetivo 1: **comprar ropa de sport** / Objective 1: **buy casual clothes**

¿Dónde está el mejor sitio para comprar ropa de sport? Hay unos grandes almacenes en el centro. ¿Dónde puedo comprar un pantalón corto? ¿Es para usted? Es para mí. Mire en la sección de ropa de señora/caballeros/ deportes. En la primera planta/la planta baja/el sótano. ¿Tiene este pantalón corto en una talla mediana/pequeña/grande? ¿Puedo probármelo? Los probadores están allí detrás. ¿Tiene la misma talla en azul oscuro/claro? Me lo quedo/las dejo entonces.	Where's the best place to buy casual clothes? There are some large department stores in the centre. Where can I buy a pair of shorts? Is it for you? It's for me. Look in the ladies'/men's/sports clothes section. On the first floor/ground floor/basement. Do you have this pair of shorts in a medium/small/large size? Can I try it on? The changing rooms are there behind you. Do you have the same size in dark/light blue? I'll take it/I'll leave them then.
amarillo; blanco; marrón; negro; rojo; rosa; verde	yellow; white; brown; black; red; pink; green
un bañador; unas botas de fútbol; una camiseta; unas chanclas; un chandal; unas sandalias; un sombrero; unas zapatillas de deporte; unos zapatos	swimming costume; football boots; T shirt; flip flops; track suit; sandals; hat; trainers; shoes
¿Qué número gasta? ¿De qué color las quiere? ¿Qué tal están?	What size shoe do you take? What colour do you want them in? How are they?

Objetivo 2: **comprar comida** / Objective 2: **buy food**

¿Tiene queso? ¿Cuál quiere? Un trozo pequeño de ése. ¿Algo más? ¿Eso es todo? Póngame medio kilo de plátanos. No vendemos pan. ¿Dónde puedo comprar pan? En la tienda de enfrente.	Do you have any cheese? Which one do you want? A small piece of that one. Anything else? Is that everything? Give me half a kilo of bananas. We don't sell bread. Where can I buy bread? In the shop opposite.
una manzana; un melocotón; una naranja; una pera; un tomate; unas uvas	apple; peach; orange; pear; tomato; grapes
una barra; un bote; una botella; cien gramos; una lata; un litro; una loncha; un paquete	loaf; tin/can; bottle; 100 grammes; tin/can; litre; slice; packet
aceitunas; agua mineral con/sin gas; galletas; jamón; leche; limonada; patatas fritas; zumo de fruta	olives; sparkling/still mineral water; biscuits; ham; milk; lemonade; crisps; fruit juice

Objetivo 3: **devolver artículos** / Objective 3: **return articles**

Compré este bolso aquí en las rebajas y tiene un agujero. Era de oferta especial. Podemos arreglarlo/cambiarlo/devolverle el dinero. No nos quedan más. ¿Tiene el recibo? una camisa; una máquina de afeitar; una máquina de fotos; una radio está roto/sucio; no funciona grande; pequeño; largo; corto; ancho; estrecho	I bought this bag here in the sale and it has a hole in it. It was on special offer. We can mend it/change it/give you your money back. We don't have any more. Do you have the receipt? shirt; electric razor; camera; radio it's broken/torn/dirty; it doesn't work big; small; long; short; wide; narrow

Las fiestas en España

El día del santo

En España además del cumpleaños, se celebra el día del santo. Es el día en el calendario que corresponde a tu nombre. Por ejemplo, el 10 de febrero es el día de San Guillermo, y es la fiesta de todos los chicos y hombres que se llaman 'Guillermo'.

¡Feliz Navidad!

En Navidad los españoles suelen decorar la casa. Ponen el árbol de Navidad y el tradicional belén.

El 24 de diciembre es Nochebuena. Para celebrarla toda la familia suele cenar en casa y luego va a Misa del Gallo a medianoche. El día siguiente es, por supuesto, el Día de Navidad. En algunas familias es Papá Noel quien deja los regalos a los niños en Nochebuena pero lo más tradicional en España es tenerlos el Día de Reyes, el 6 de enero. La noche del 5 los niños suelen dejar los zapatos y los calcetines alrededor de la chimenea. También suelen dejar comida y bebida para los camellos de los Reyes Magos. Si el niño ha sido bueno durante todo el año los Reyes le dejan regalos. Pero si no, sólo le dejan ¡un trozo de carbón!

Aquí hay algunos días relacionados con las fiestas navideñas en España, y los nombres de algunos de los protagonistas. ¿Puedes emparejar cada uno con el dibujo o fecha que corresponde?

1 Nochebuena

2 El día de Navidad

3 Nochevieja

4 El día de Año Nuevo

5 El día de Reyes

6 Papá Noel

7 Los Reyes Magos

A

B

C 6 de enero

D 24 de diciembre

E 1 de enero

F 31 de diciembre

G 25 de diciembre

Las Fallas de Valencia

Una de de las fiestas más espectaculares son las Fallas de Valencia, en el este de España. Entre el 15 y el 19 de marzo ponen unos monumentos grandes de cartón y madera en las calles. El 19 de marzo es el día de San José que también es el Día del Padre. Es el último día de las Fallas y por la noche suelen quemar todos los monumentos.

La Semana Santa

Durante las fiestas de Semana Santa hay procesiones de penitentes por las calles de todos los pueblos de España, incluido Nerja. La gente lleva altares con grandes estatuas de Jesucristo y otras escenas religiosas. Las fiestas más famosas tienen lugar en Sevilla.

Los Sanfermines en Pamplona

Las fiestas de San Fermín se celebran en Pamplona en el norte de España en julio. Todos los días durante una semana hay corridas de toros. Por la mañana del 7 de julio los toros corren por las calles de la ciudad y la gente corre delante de ellos desde la Plaza Mayor hasta la Plaza de Toros. Es una espectáculo emocionante, pero muy peligroso.

La Tomatina

En el pueblo de Buñol en la provincia de Valencia los granjeros cultivan tomates. El último miércoles de agosto, el pueblo es el escenario para la anual 'batalla de los tomates', cuando la gente se divierte tirando la fruta que no puede vender.

¿¿p9 Actividad 13

1 Indefinite articles

There are two words for 'a' or 'an' in Spanish. Did you notice what they are?

– ¿Tienes hermanos?
– Sí. Tengo **un** hermano y **una** hermana.

– ¿Tienes **un** animal?
– Sí. Tengo **un** ratón.

Spanish nouns are either *m*asculine or *f*eminine. **Un** is used with a masculine singular noun and **una** with a feminine singular noun. Your dictionary can help you with this. For example:

hermano *nm* brother hermana *nf* sister animal *nm* animal ratón *nm* mouse

The *nm* and *nf* after a noun tells you whether it is *m*asculine or *f*eminine. Another way of knowing is to look at the last letter of the word. If a noun ends in **-o** it is usually masculine, and if it ends in **-a** it is usually feminine. There are, however, some exceptions to this which you should note when you meet them.

Can you put **un** or **una** into these sentences?

1 Tengo ________ abuelo y ________ abuela.
2 No tengo ________ animal pero tengo ________ hermana.
3 Tengo ________ pez y ________ gato.
4 Los monitores de El Capistrano están en ________ curso de preparación.
5 Andalucía es ________ región muy pintoresca.

¿¿p9 Actividad 15

2 Plurals

Look at these sentences. What happens to the noun when you talk about more than one thing?

– Tengo tres gato**s**.
– Pues, yo tengo tres periquito**s**.

– ¿Tienes hermano**s**?
– Si, tengo dos hermana**s**.

If a noun ends in a vowel you add **-s**. What happens to nouns which end in a consonant?

– ¿Cuántos animal**es** tienes?
– Tengo cuatro raton**es**.

Nouns which end in a consonant add **-es** in the plural. If there is an accent at the end of a word in the singular (e.g. rat**ó**n) the accent disappears when you add **-es** (e.g. rat**ones**).

Also, a **-z** at the end of a singular noun changes to **-ces** in the plural:

Tengo un pe**z**.
Tengo dos pe**ces**.

Now change the nouns in brackets in these sentences into the plural form:

1 Tengo dieciséis (año).
2 ¿Tienes (animal) en casa?
3 Mi tío tiene dos (caballo).
4 En El Capistrano hay muchos (monitor).
5 Tengo cuatro (ratón) y cinco (pez).
6 Practica las nuevas (conversación).

p12 Actividad 1

3 Adjectives

Here a parent is giving some information about his son and daughter who are lost in El Capistrano. What do you notice about the words in bold?

– ¿Cómo es su hijo?
– Pues, mi hijo es bastante **alto**. Tiene el pelo **corto** y **rubio**.
– Y ¿cómo es su hija?
– Mi hija es **baja** y **delgada**. Tiene el pelo **largo** y **moreno**.

The words in bold are all describing the man's children in some way. These words are called *adjectives*. The endings of adjectives usually change according to whether the word they are describing is masculine or feminine, and singular or plural.

Mi hijo es alt**o**. Mi hija es alt**a**.
Mi hijo es trabajado**r**. Mi hija es muy trabajado**ra**.

But some stay the same:

Es un chico muy forma**l**. Es una chica forma**l**.
Mi padre es bastante inteligent**e**. Mi madre es inteligent**e**.
Pedro es muy deportist**a**.(sporty) Susana también es muy deportist**a**.

What happens to adjectives when they describe more than one thing?

Tiene los ojos negro**s**. Tiene los ojos verde**s**.
Mis hijas son guapa**s**. Tengo los ojos azul**es**.

You need to add an **-s** or an **-es** to the singular form.

This grid will help you choose which ending to use:

Singular		**Plural**	
Masculine	*Feminine*	*Masculine*	*Feminine*
alt**o**	alt**a**	alt**os**	alt**as**
azú**l**	azú**l**	azul**es**	azul**es**
holandé**s**	holandes**a**	holandes**es**	holandes**as**
trabajado**r**	trabajador**a**	trabajador**es**	trabajador**as**

Use this information to choose the correct adjective from the list to complete these sentences:

1 Mi amiga Sally es ________. (inglés; inglesa; ingleses; inglesas)
2 Mi hijo tiene los ojos ________. (marrón; marrones)
3 Mi abuelo tiene el pelo ________. (gris; grises)
4 Tengo dos gatos ________. (negro; negra; negros; negras)
5 El Capistrano es un pueblo ________. (español; española; españoles; españolas)
6 Los monitores están muy ________. (bronceado; bronceada; bronceados; bronceadas)

p13 Actividad 6

4 My and your

What do you notice about the Spanish words for 'my' and 'your' in these sentences?

Estoy aquí con **mi** familia. ¿Cuándo es **tu** cumpleaños?
Mis hermanos están en Valencia. ¿Estás aquí con **tus** hermanos?

The word for 'my' or 'your' changes according to whether the word which follows is singular or plural. You need to add an **-s** in the plural form.

Can you complete these conversations by putting in the correct Spanish word for 'my' or 'your'?

1 – ¿Cómo se llama ________ hermano?
– ________ hermano se llama Mario.

2 – ¿________ padres están aquí en el pueblo?
– No. ________ padres están en Valencia.

p13 Actividad 6

5 Ser and estar

Spanish has two verbs meaning 'to be'. Look out for how these verbs are used whenever you read and hear Spanish and you will soon be able to choose the right one.

Ser

Soy inglés.
Soy de Inglaterra.
Mi nombre **es** Ricardo.
Mi hermano **es** simpático.
Mis hijos **son** altos.

INFINITIVE		SER (to be)
SINGULAR		
I	yo	**soy**
you (informal)	tú	**eres**
he/she/it	él/ella	**es**
you (formal)	usted	**es**
PLURAL		
we	nosotros	**somos**
you (informal)	vosotros	**sois**
they	ellos/ellas	**son**
you (formal)	ustedes	**son**

The words in bold are all parts of the verb **SER**. From these examples you can see that this verb is used mainly:

- when you are talking about nationalities
- when you ask or say where someone is from
- when you are stating who or what someone or something is (e.g. profession)
- when you are talking about someone's character or personality, or describing what they look like.

Estar

Estoy aquí con mi madre y mi tía.
¿**Estás** aquí con tu familia?
Mi perro **está** en Valencia con mi abuelo.
Mis hijos **están** perdidos en el pueblo.

INFINITIVE		ESTAR (to be)
SINGULAR		
I	yo	**estoy**
you (informal)	tú	**estás**
he/she/it	él/ella	**está**
you (formal)	usted	**está**
PLURAL		
we	nosotros	**estamos**
you (informal)	vosotros	**estáis**
they	ellos/ellas	**están**
you (formal)	ustedes	**están**

The words in bold are all taken from the verb **ESTAR**. This verb is used mainly:

- to say or ask where something or somebody is (location)
- to indicate a physical state which is not permanent and which can, therefore, change.

Now use the verb tables to help you decide which part of **SER** or **ESTAR** you need to complete these sentences.

1 ¿Dónde ________ tu hermana?
2 Mi hijo ________ bajo y gordo.
3 Mis abuelos ________ franceses.
4 Me llamo Helga. ________ de Alemania.
5 Mis padres ________ en Barcelona.
6 ________ aquí con mis tíos.

p17 Actividad 3

1 Gustar – to like

You have met examples of people being asked about or talking about their likes:

¿**Te gusta** el deporte? **Do you like** sport? (informal)
Me gusta el fútbol. **I like** football.

You can see how the word for 'like', **gusta**, is the same in each of these sentences. It is the word which goes in front of **gusta** which makes clear *who* likes something. This is because the Spanish is actually saying 'It is pleasing (to me, etc.)'.

To talk or ask about dislikes you simply put **No** at the front of the sentence:

No me gusta ver la tele. **I don't like** watching television.
¿**No le gusta** el windsurf? **Don't you like** windsurfing?

What happens when you talk about liking or disliking more than one thing?

Me gustan los videojuegos. **I like** video games.
¿**Le gustan** los deportes? **Do you like** sports?

You add an **-n** to the end of **gusta** to make **gustan** (i.e. they are pleasing to me, etc.).

This table will help you to say or ask what someone likes or dislikes:

SINGULAR		**PLURAL**	
I like	me gusta / gustan	we like	nos gusta / gustan
you like (informal)	te gusta / gustan	you like (informal)	os gusta / gustan
he/she/it likes	le gusta / gustan*	they like	les gusta / gustan*
you like (formal)	le gusta / gustan*	you like (formal)	les gusta / gustan*

*it will be clear from the context whether **le/les** refers to 'he', 'she', 'it' or 'they', or 'you' (formal).

What would you say in Spanish if you wanted to. . .

1 . . . ask your Spanish friend if he likes golf?
2 . . . ask your Spanish friends if they like sports?
3 . . . ask your Spanish friend's father if he likes football?

p18 Actividad 5

2 The present tense

In these sentences people are talking about something which happens regularly.

Toco la guitarra. **I play** the guitar.
¿**Lees** muchas novelas? **Do you read** many novels?
Escriben sus respuestas. **They write** their answers.

The words in bold are all parts of the *present tense* of the verb. You will notice that there is no separate word for 'I', 'you' or 'they'. Spanish pronouns are only used when there might otherwise be some uncertainty about who is doing something, or for emphasis. It is the end of the verb which tells us who is doing something and that is why it is important to get the endings of verbs correct in Spanish.

Spanish verbs can be arranged into three groups according to the ending of the *infinitive*, which is the form you will find in your dictionary. By replacing the last two letters of the infinitive with the endings as shown below, you can produce the present tense of most verbs:

INFINITIVE		**-AR** **tocar (to play)**	**-ER** **leer (to read)**	**-IR** **escribir (to write)**
SINGULAR				
I	yo	toc**o**	le**o**	escrib**o**
you (informal)	tú	toc**as**	le**es**	escrib**es**
he/she/it	él/ella	toc**a**	le**e**	escrib**e**
you(formal)	usted	toc**a**	le**e**	escrib**e**
PLURAL				
we	nosotros	toc**amos**	le**emos**	escrib**imos**
you (informal)	vosotros	toc**áis**	le**éis**	escrib**ís**
they	ellos/ellas	toc**an**	le**en**	escrib**en**
you (formal)	ustedes	toc**an**	le**en**	escrib**en**

Some Spanish verbs, however, are irregular, which means that they do not follow this pattern. Whenever you meet an irregular verb make a note of it. Here are two you have met – **JUGAR** (to play), and **PREFERIR** (to prefer). Can you see what happens to them in the singular and in the 3rd person plural?

INFINITIVE		**JUGAR (to play)**	**PREFERIR (to prefer)**
SINGULAR			
I	yo	j**ue**go	pref**ie**ro
you (informal)	tú	j**ue**gas	pref**ie**res
he/she/it	él/ella	j**ue**ga	pref**ie**re
you (formal)	usted	j**ue**ga	pref**ie**re
PLURAL			
we	nosotros	jugamos	preferimos
you (informal)	vosotros	jugáis	preferís
they	ellos/ellas	j**ue**gan	pref**ie**ren
you (formal)	ustedes	j**ue**gan	pref**ie**ren

Note where the **-u-** changes to **-ue-** and the **-e-** to **-ie-**. Some other verbs are only irregular in the 'I' form and follow the rule for the other persons; **HACER** (to do) [**hago** – I do] and **DAR** (to give) [**doy** – I give] are two examples.

Unfortunately, some of the most commonly used verbs are irregular in every person and have to be learned separately when you meet them. One verb you will need quite a bit is **IR** (to go), so here it is for you:

INFINITIVE		**IR (to go)**
SINGULAR		
I	yo	**voy**
you (informal)	tú	**vas**
he/she/it	él/ella	**va**
you (formal)	usted	**va**
PLURAL		
we	nosotros	**vamos**
you (informal)	vosotros	**vais**
they	ellos/ellas	**van**
you (formal)	ustedes	**van**

Now use the tables to put the correct form of the verb in the following sentences:

1 Me gusta mucho la música. (Tocar) la guitarra en un grupo.

2 Mi hermano (jugar) al fútbol con sus amigos.

3 No me gusta el golf, (preferir) la natación.

4 – ¿(Ir) a la discoteca esta noche?
– No, (ir) al teatro con mis padres.

p29 Actividad 5

1 The preterite tense

Look at these sentences. What do the words in bold have in common?

¿**Participaste** en el torneo de tenis? **Did you take part** in the tennis tournament?
Visité el museo de arte. **I visited** the art museum.
Tomé el sol. **I sunbathed**.

They all ask or say what somebody *did*, or what happened in the past. In Spanish this part of the verb is called the *preterite tense*. It is used to describe an action or event which happened in the past and is finished.

As with all verbs in Spanish the endings are very important. You add the new endings to the part of the verb which is left when **-AR**, **-ER** or **-IR** has been removed from the infinitive. So, **VISITAR** (to visit) becomes **visité** (I visited) in the 'I' form.

INFINITIVE		**-AR** **visitar (to visit)**	**-ER** **comer (to eat)**	**-IR** **salir (to go out)**
SINGULAR				
I	yo	visit**é**	com**í**	sal**í**
you (informal)	tú	visit**aste**	com**iste**	sal**iste**
he/she/it	él/ella	visit**ó**	com**ió**	sal**ió**
you (formal)	usted	visit**ó**	com**ió**	sal**ió**
PLURAL				
we	nosotros	visit**amos**	com**imos**	sal**imos**
you (informal)	vosotros	visit**asteis**	com**isteis**	sal**isteis**
they	ellos/ellas	visit**aron**	com**ieron**	sal**ieron**
you (formal)	ustedes	visit**aron**	com**ieron**	sal**ieron**
		Also:		
		PARTICIPAR (to take part)		RECIBIR (to receive)
		ALQUILAR (to hire, rent)		ESCRIBIR (to write)
		COMPRAR (to buy)		PREFERIR (to prefer)

As you can see, the endings are the same for the **-ER** and **-IR** groups.

There are, however, some verbs which don't follow this pattern. In some cases it may only be one part which is irregular. For example, look what happens in the 'I' form of **JUGAR** (to play) and **SACAR fotos** (to take photographs).

Ayer ju**gu**é un partido de minigolf. Sa**qu**é muchas fotos.

Remember you will need to make these spelling changes in the 'I' form of this tense for any verb whose infinitive ends in **-GAR** or **-CAR**, e.g. **TOCAR** (to play).

The four commonly used verbs **IR**, **HACER**, **SER** and **ESTAR** are completely irregular in the preterite tense.

INFINITIVE		**IR (to go)**	**HACER (to do)**	**SER (to be)**	**ESTAR (to be)**
SINGULAR					
I	yo	**fui**	**hice**	**fui**	**estuve**
you (informal)	tú	**fuiste**	**hiciste**	**fuiste**	**estuviste**
he/she/it	él/ella	**fue**	**hizo**	**fue**	**estuvo**
you (formal)	usted	**fue**	**hizo**	**fue**	**estuvo**
PLURAL					
we	nosotros	**fuimos**	**hicimos**	**fuimos**	**estuvimos**
you (informal)	vosotros	**fuisteis**	**hicisteis**	**fuisteis**	**estuvisteis**
they	ellos/ellas	**fueron**	**hicieron**	**fueron**	**estuvieron**
you (formal)	ustedes	**fueron**	**hicieron**	**fueron**	**estuvieron**

Notice that the preterite forms of **IR** (to go) and **SER** (to be) are identical. The context will make the meaning clear.

To make a sentence negative you simply add **no** in front of the verb:

No fuimos a la piscina. **We didn't go** to the swimming pool.

Now use these rules to choose the correct part of the verb to complete each of these conversations:

1

– ¿Qué (hicimos/hizo/hicieron) usted ayer?
– (Jugaste/Jugaron/Jugué) en el torneo de tenis.
– Y ¿estuvo bien?
– Sí, porque ¡(ganó/gané/ganasteis)!

2

– ¿Qué (hiciste/hicieron/hicimos) tus padres ayer?
– Pues, mi padre (visitar/visité/visitó) el museo de arte, y mi madre (fue/ fuimos/fueron) de compras.
– Y ¿qué (hice/hicisteis/hizo) tu hermano?
– Bueno, Pedro (jugamos/jugar/jugó) en el torneo de fútbol sala y yo (ir/fueron/fui) al cine.
– ¿(Fuero/Fuiste/ Fuimos) con los amigos?
– No. No (fuisteis/fue/fui) con mis amigos. (Fui/Fueron/Fuimos) solo.

p31 Actividad 1

2 Hay – there is/there are

Look at these sentences.

Hay una excursión en autocar a Granada. No **hay** piscinas en el pueblo.

Hay is a very useful word when you want to list things in Spanish. It can mean either 'there is' or 'there are' so you can use it in front of one or more than one item:

Hay una bolera, pero no **hay** pistas de tenis.

It is also useful for asking questions about what is available:

¿**Hay** una sala de fiestas en el pueblo?

p33 Actividad 6

3 The present tense

Cerrar, Volver

Learn these two verbs. They belong to a group known as *radical changing verbs*. They are called this because there is a spelling change in the root part of the verb in the same way as you saw with **JUGAR** (to play) and **PREFERIR** (to prefer) on p142.

INFINITIVE		**CERRAR (to close)**	**VOLVER (to go back)**
SINGULAR			
I	yo	c**ie**rro	v**ue**lvo
you (informal)	tú	c**ie**rras	v**ue**lves
he/she/it	él/ella	c**ie**rra	v**ue**lve
you (formal)	usted	c**ie**rra	v**ue**lve
PLURAL			
we	nosotros	cerramos	volvemos
you (informal)	vosotros	cerráis	volvéis
they	ellos/ellas	c**ie**rran	v**ue**lven
you (formal)	ustedes	c**ie**rran	v**ue**lven

Salir

– ¿**Sales** con tu hermano mañana?
– No, **salgo** con mis amigos.

SALIR (yo) **salgo**, (tú) sales, (él/ella) sale, (usted) sale, (nosotros) salimos, (vosotros) salís, (ellos/ellas) salen, (ustedes) salen

Salgo is the 'I' part of the verb **SALIR** (to go out; to leave). You only need to add the extra letter **-g-** in the first person singular. All the other parts of the verb are formed in the normal way.

To show that you have understood, write out these conversations in full.

1 – ¿(Do you go out) mucho con tus amigos?
– Sí, siempre (I go out) el sábado por la noche.

2 – ¿Vamos a nadar?
– No. (They close) la piscina a la una y media.

3 – ¿A qué hora (does it leave) la excursión?
– Pues, (we leave) a las diez de la mañana y (we return) a las cuatro de la tarde.

Un poco de gramática

p38 Actividad 1

1 Demonstrative pronouns

Look at these sentences. What do the words in bold have in common?

. . . **éste** es el señor Gil y **ésta** es su señora. . . . **éstos** son mis hijos.

These words all emphasise *who* or *what* it is you are talking about – 'this (one)' or 'these (ones)'.

	This (one)	These (ones)
Masculine	éste	éstos
Feminine	ésta	éstas

Notice that you need to write an accent on the first letter of these words.

You now only have to make a small spelling change in order to say 'that (one)' or 'those (ones)'.

	That (one)	Those (ones)
Masculine	ése	ésos
Feminine	ésa	ésas

Notice that you also need to write an accent on the first letter of each of these words.

Use the tables to choose the correct word to complete the following sentences.

1 Aquí está una foto de mi familia – _______ son mis padres, ________ es mi hermano y ________ es mi hermana.

2 – Quiero unas gafas de sol.
– ¿Quieres ________ ?
– No, quiero ________ .

3 – ¿ ________ son tus tebeos?
– No, mis tebeos son ________ .

p41 Actividad 4

2 His and her

In Unit 1 you saw how to say 'my' (**mi/mis**) and 'your' (**tu/tus**). Now look at these sentences:

El señor Gil está con **su** familia en el apartamento 49.
María va a la bolera con **su** hermana.
Juan quiere salir con **sus** amigos.

You can see that Spanish uses the same word for 'his' or 'her' and, just like **mi** and **tu**, you add an **-s** if the word following it is plural.

Now put the correct word for 'his' or 'her' into these sentences.

1 El señor no está contento, ________ apartamento está sucio.
2 Elena está en la piscina con ________ amigas.
3 La señora López tiene un problema. ________ hija está perdida en el pueblo.
4 Voy a casa de Juan. Quiero jugar con ________ ordenador.

p42 Actividad 1

3 Tener que – to have to

Each of the following sentences says what somebody *has* to do. Can you see how it is done?

Tengo que arreglar el apartamento.
Tienes que escuchar la conversación.
Usted **tiene que ir** al apartamento 49 ahora mismo.

You use the *present tense* of the verb **TENER** (to have) followed by **que**, plus the *infinitive* of the verb that indicates whatever has to be done.

INFINITIVE		**TENER (to have)**
SINGULAR		
I	yo	**tengo**
you (informal)	tú	**tienes**
he/she/it	él/ella	**tiene**
you (formal)	usted	**tiene**
PLURAL		
we	nosotros	**tenemos**
you (informal)	vosotros	**tenéis**
they	ellos/ellas	**tienen**
you (formal)	ustedes	**tienen**

Match up these phrases to make four correct sentences.

1 Tengo que participar	**A** tienen que salir.
2 Mi hermano tiene que ir	**B** a la bolera mañana.
3 Mi amiga y yo	**C** en un torneo de tenis.
4 El señor Gil y su señora	**D** tenemos que leer los tebeos.

p42 Actividad 2

4 Poder – to be able to

In this unit you have seen several ways of saying or asking what somebody can do.

¿**Puedo ir** a la piscina?
¿**Puedes escribir** un horario para tus estudios?
Mi hermana **puede salir** con sus amigas.
¿**Podéis ir** a la discoteca?

You need to use the appropriate part of **PODER** (to be able) followed by the *infinitive* of the verb that explains what you can do or what you are asking permission to do.

INFINITIVE		**PODER (to be able)**
SINGULAR		
I	yo	**puedo**
you (informal)	tú	**puedes**
he/she/it	él/ella	**puede**
you (formal)	usted	**puede**
PLURAL		
we	nosotros	**podemos**
you (informal)	vosotros	**podéis**
they	ellos/ellas	**pueden**
you (formal)	ustedes	**pueden**

To say that somebody cannot do something, you simply put **no** in front of the verb:

No puedes salir esta noche.

p44 Actividad 1

5 Querer – to want

You use the verb **QUERER** (to want) to say that someone wants something, or followed by the *infinitive* to say that someone wants to *do* something:

Quiero una revista, por favor.
Quiero ir a la discoteca.

INFINITIVE		**QUERER (to want)**
SINGULAR		
I	yo	**quiero**
you (informal)	tú	**quieres**
he/she/it	él/ella	**quiere**
you (formal)	usted	**quiere**
PLURAL		
we	nosotros	**queremos**
you (informal)	vosotros	**queréis**
they	ellos/ellas	**quieren**
you (formal)	ustedes	**quieren**

Look at this picture. Make up some sentences using the verbs **PODER** and **QUERER**, as in the example. Try to use the 'I', 'you', 'we' and 'they' forms of the verbs.

For example:
– Perdone, señor, **quiero** pasear con mi perro.
– Lo siento, pero **no puedes** pasear con tu perro en El Capistrano.

p49 Actividad 1

1 Definite articles

In Spanish there are four words for 'the'. Here are some examples:

Repite **la** conversacíon. Repeat **the** conversation.
Escucha y empareja, como en **el** ejemplo. Listen and match up, as in **the** example.
Rellena **los** espacios en blanco. Fill in **the** blank spaces.
Lee **las** descripciones. Read **the** descriptions.

El is usually followed by a masculine singular noun.	**Los** is followed by a masculine plural noun.
La is followed by a feminine singular noun.	**Las** is followed by a feminine plural noun.

If you are not sure whether a noun is masculine or feminine your dictionary will help: *nm* after a word means that it is masculine, and *nf* that it is feminine.

Fill in the blank spaces in the following sentences with the correct Spanish word for 'the':

1 ________ director del curso quiere saber algo de ________ intereses de ________ monitores.
2 Escucha ________ conversaciones.
3 ¿Le gustan ________ piscinas en ________ pueblo?

p49 Actividad 2

2 Al/a la

Look at the examples and work out how to use **a** meaning 'to'. How it is used depends on the noun which follows it.

Vamos **al** cine. Let's go **to the** cinema
Vamos **a la** piscina. Let's go **to the** swimming pool.
¿Por qué no vamos **a los** jardines públicos esta mañana?
Why don't we go **to the** public gardens this morning?
¿Por qué no vamos **a las** piscinas esta tarde?
Why don't we go **to the** swimming pools this afternoon?

The rule is :
a + el = al
a + la = a la
a + los = a los
a + las = a las

What would you say in Spanish to suggest going to the following places?

1 
2 
3 

4 

p53 Actividad 2

3 Demonstrative adjectives

Read the following sentences paying attention to the words in bold. Can you work out how to use **este**, **esta**, **estos** and **estas**?

¿Vamos a ver **este** partido de fútbol? Shall we go and see **this** football match?
¿Vamos a ver **esta** película? Shall we go and see **this** film?
Escucha **estas** conversaciones. Listen to **these** conversations.
Vamos a mirar en **estos** periódicos. Let's look in **these** newspapers.

The words in bold all indicate which particular thing someone is referring to. They are called *demonstrative adjectives* and are exactly the same as demonstrative pronouns (see p145) except that they don't have an accent on the first letter, and they are followed by the noun they describe.

The word you use depends on whether the noun which follows is masculine or feminine, singular or plural. The following table will help you choose:

	This (singular)	These (plural)
Masculine	este	estos
Feminine	esta	estas

With a simple spelling change you can make the words for 'that' and 'those':

	That (singular)	Those (plural)
Masculine	ese	esos
Feminine	esa	esas

Choose the correct word to complete these conversations:

1 – ¿Vamos a salir (este/esta/estos/estas) tarde?
– Pues, sí. ¿Adónde vamos?
– ¿Por qué no vamos a ver (este/esta/estos/estas) concierto?
– De acuerdo.

2 – ¿Te gustan (este/esta/estos/estas) jardines?
– Sí. Son muy bonitos.

3 – (Este/esta/estos/estas) señores están en en el apartamento 29.
– Muy bien. ¿Quieren venir conmigo, por favor?

Unidad 6

Un poco de gramática

¡¿ p66 Actividad 6b ¡¿

1 Object pronouns

Look at these sentences. Why do you think the words in bold have changed in each case?

– ¿Qué tipo de música **le** gusta?
– **Me** gusta la música popular.

You met the verb **GUSTAR** (to like) in Unit 2 and saw there how the word in front of **gusta** is very important as it tells us clearly who likes something. Remember that the Spanish really means:

– What type of music is pleasing **to you**?
– Popular music is pleasing **to me**.

Me and **le** belong to a group of words called *indirect object pronouns*. These words show who is on the receiving end of a verb.

Now look at some more examples. Do you notice anything different about where the pronoun appears in the sentence?

– ¿Quieres hablar**me** de tus intereses?
– De**me** cuatro entradas, por favor.

The usual position of the indirect pronoun is in front of the verb. However, with *infinitives* and *positive commands* the indirect object pronoun is attached to the end of the verb.

This table will help you choose the object pronoun you need.

Singular	
me	*to me*
te	*to you (familiar)*
le	*to him, to her, to you (formal)*
Plural	
nos	*to us*
os	*to you (familiar)*
les	*to them, to you (formal)*

Use the table to help you complete the following conversations. Then practise them with a partner.

1 – Buenos días. ¿Puedo ayudar ________?
– Sí. De ________ una entrada para la sala tres, por favor.

2 – ¿________ gustan las películas policíacas?
– No, no ________ gustan. Pero a mi hermano________ gustan mucho.

3 – Buenas tardes.¿Puedo ayudar ________?
– Sí. ¿Puede decir ________ a qué hora empieza la obra, por favor?

p72 Actividad 5

1 Omission of the indefinite article

In Unit 1 you met the indefinite article **un/una**. Look at these sentences from Unit 7. The indefinite article is omitted. Can you say why? The words in bold will give you a clue.

Quiero ser **médico**. I want to be a **doctor**.
Me gustaría ser **enfermera**. I would like to be **a nurse**.
¿Quieres ser **profesora**? Do you want to be **a teacher**?

In Spanish the indefinite article is omitted before professions. It is included, however, if you want to give some additional information about the person who does that job. For example:

Mi madre es **profesora**. My mother is a **teacher**.

but :

Mi madre es **una profesora severa**. My mother is **a strict teacher**.

It is also omitted in negative statements:

No tengo **trabajo**. I haven't got **a job**.

Nor is it used in Spanish with nationalites, although it can be in English:

Esta señora es **italiana**. This lady is **Italian**. / This lady is **an Italian**.

However, as with professions, if you go on to say something else about the person, you do need to add **un** or **una**:

Pavarotti es **un italiano famoso**. Pavarotti is **a famous Italian**.

p72 Actividad 6

2 The immediate future

Look at these examples from Unit 7 to see how to talk about something which is going to take place in the near future.

– Ignacio, ¿qué **vas a hacer** el año que viene? – Ignacio, what **are you going to do** next year?
– **Voy a hacer** el servicio militar. – **I am going to do** military service.

The words in bold are the present tense of the verb **IR** (to go) followed by **a** and the infinitive of the verb **HACER** (to do). (N.B. Look again at p142 to find the present tense of **IR**).

So, the pattern is:

The correct part of the *present tense* of the verb **IR** +**a** + *infinitive* of the main verb.

Voy a jugar al tenis. **I'm going to play** tennis.
Vamos a escuchar la radio. **We are going to listen to** the radio.

1 First match up the following halves of sentences to say what different people are going to do in the near future:

1 Mi hermana
2 Pedro y María
3 Mi madre y yo
4 El año que viene, ¿tú

A vamos a estudiar italiano.
B vas a dejar de estudiar?
C va a trabajar en un hospital grande.
D van a estudiar en la universidad.

2 These pictures show some of the things you are going to do in the future. How would you explain your plans to your Spanish friend?
Por ejemplo: A – Voy a buscar trabajo.

¡? p75 Actividad 2 ¿?

3 The future tense

Look at these sentences. What happens to the verb when you want to describe what will happen or what someone will do in the future?

Buscaré un empleo en una colonia de vacaciones. **I shall look for** a job in a holiday camp.
Trabajaré en un hospital. **I shall work** in a hospital.
Iré a la universidad. **I shall go** to university.

The words in bold are all part of the future tense. The endings are the same for all verbs, and they are usually added to the infinitive. This table will show you which ending to choose:

INFINITIVE		-AR	-ER	-IR
SINGULAR		buscar (to look for)	coger (to catch)	ir (to go)
I	yo	buscar**é**	coger**é**	ir**é**
you (informal)	tú	buscar**ás**	coger**ás**	ir**ás**
he/she/it	él/ella	buscar**á**	coger**á**	ir**á**
you (formal)	usted	buscar**á**	coger**á**	ir**á**
PLURAL				
we	nosotros	buscar**emos**	coger**emos**	ir**emos**
you (informal)	vosotros	buscar**éis**	coger**éis**	ir**éis**
they	ellos/ellas	buscar**án**	coger**án**	ir**án**
you (formal)	ustedes	buscar**án**	coger**án**	ir**án**

So the endings are the same for **-AR**, **-ER** and **-IR** verbs.

There are only a few verbs which are irregular. With these you need to change the main part of the verb (the stem) before you add the usual endings. Here are the first person 'I' forms for the ones you are most likely to need:

DECIR (to say) **diré**
HACER (to do) **haré**
PODER (to be able to) **podré**
PONER (to put) **pondré**
QUERER (to want) **querré**
SABER (to know) **sabré**
SALIR (to go out) **saldré**
TENER (to have) **tendré**
VENIR (to come) **vendré**

This young Spanish person is dreaming about his future. Can you say what he his thinking?
Por ejemplo: A – Iré a Londres.

¡? p77 Actividad 1 ¿?

4 Desde hace – how long?

Read these sentences from Unit 7 to see how to ask how long someone has been doing something, and how to answer the same question.

– ¿**Desde cuándo** estudias el francés? – **How long** have you been studying French?
– Estudio el francés **desde hace cinco años**. – I have been studying French **for five years**.

The Spanish actually means:

– **Since when** are you studying French?
– I am studying French **since five years ago**.

In Spanish the present tense of the verb is used because the activity (studying French) is still going on.

How would you answer these questions?

1 ¿Desde cuándo estudias español?
2 ¿Desde cuándo vives en tu pueblo?

p81 Actividad 2

1 Mejor/peor

Look at these sentences, paying particular attention to the words in bold.

Lo mejor es que las horas no son demasiado largas. **The best thing** is that the hours are not too long.
Lo peor es que no pagan bien. **The worst thing** is that they don't pay well.

You can see that you just need to put **lo** in front of **mejor** (better) or **peor** (worse) to talk about the best or worst aspects of something.

How would you rate the following aspects of a job? Write out what you think is best (**Lo mejor es que . . .**) and what is worst (**Lo peor es que . . .**).

1 Es un trabajo interesante.
2 Hay que trabajar muchas horas al día.
3 Es un trabajo muy desagradable.
4 Es un trabajo agradable y fácil.
5 Es muy aburrido.
6 Me llevo bien con la gente.

Mejor and **peor** can also be used as adjectives to describe something which is the best or worst of its kind. Can you see what happens when you describe more than one thing?

La **peor** pista de tenis está en este pueblo. The **worst** tennis court is in this town.
Los **mejores** monitores trabajan en El Capistrano. The **best** reps work in El Capistrano.

Because they are adjectives they have to agree with the word they describe, so in the plural form you add **-es**. The masculine and feminine singular forms are the same, and so are the masculine and feminine plurals.

This table will help you choose the correct word to use. ➤

	best	*worst*
Singular	mejor	peor
Plural	mejores	peores

Say who or what you consider to be the best or worst in the following categories.

1a El mejor grupo de música pop. **b** El peor grupo de música pop.
2a La mejor revista para jóvenes. **b** La peor revista para jóvenes.
3a Los mejores equipos de fútbol. **b** Los peores equipos de fútbol.
4a Las mejores telenovelas. **b** Las peores telenovelas.

p84 Actividad 1

2 The perfect tense

Look at these sentences. What do the verbs in bold have in common?

– ¿**Has tenido** experiencia de este tipo de trabajo?
– **Have you had** any experience of this kind of work?

– **He hecho** un poco de experiencia de formación en un camping.
– **I have done** a bit of work experience on a campsite.

In each case they are asking or saying what someone has done in the recent past, when what he or she has done is relevant to what is going on now. This is known as the *perfect tense*. You use it very much as you use the perfect tense in English. You should contrast this with the preterite tense (p143) which is used to describe an action or event which happened in the past and is finished.

The perfect tense consists of two parts in Spanish, as in English, the *present tense* of **HABER** (to have) + the *past participle* of the main verb.

The part of **HABER** you need to use will depend on who has done something or what has happened. This table will help you choose correctly: ➤

HABER (yo) he, (tú) has, (él/ella) ha, (usted) ha, (nosotros) hemos, (vosotros) habéis, (ellos/ellas) han, (ustedes) han

The past participles of regular verbs are not difficult to form. Can you tell from these examples how to do it?

¿Qué experiencia has **tenido**? What experience have you **had**?
He **trabajado** en una cafetería. I have **worked** in a café.
He **salido** con mis amigos. I have **gone out** with my friends.

For regular verbs the two different endings for the past participle are **-ado** and **-ido**.

The past participles of regular **-AR** verbs end in **-ado**, for example **TRABAJAR** (to work) – **trabajado**. The past participles of regular **-ER** and **-IR** verbs end in **-ido**, for example **TENER** (to have) – **tenido** and **SALIR** (to go out) – **salido**.

N.B. The past participle of the verb **IR** (to go) is **ido**.

A number of verbs have irregular past participles which you will need to learn when you meet them. Learn the following which are particularly useful:

ABRIR (to open) **abierto**
DECIR (to say /to tell) **dicho**
ESCRIBIR (to write) **escrito**
HACER (to do) **hecho**
PONER (to put) **puesto**
ROMPER (to break) **roto**
VER (to see) **visto**
VOLVER (to return) **vuelto**

To form the negative you add **no** in front of the part of the verb **HABER**:
No he vivido en Barcelona.

Now use what you have learned to answer the following questions:

1 ¿Has hecho alguna experiencia de formación?
2 ¿Has trabajado a tiempo parcial o de tiempo completo?
3 ¿Has ganado mucho dinero?
4 ¿Has estudiado mucho hoy?
5 ¿Qué has hecho hoy?

¿? p84 Actividad 1

3 The imperfect tense

Look at these sentences. What do the words in bold have in common?

Trabajaba ocho horas por día. **I used to work** eight hours a day.
Tenía un trabajo muy interesante. **I used to have** a very interesting job.
Salía con mis amigos todos los sábados. **I used to go out** with my friends every Saturday.

They all say what used to happen. This is called the *imperfect tense*.

Now look at the same tense used in a slightly different way:

Escuchaba la radio cuando llegó Teresa. **I was listening to** the radio when Teresa arrived.

This time it describes what was happening at a particular time when something else happened in the past.

Finally look at this example:

El director **estaba** muy contento con mi trabajo. The boss **was** very happy with my work.

Here, the imperfect tense is used to give a description in the past.

So, the three ways in which you use the imperfect tense are:

- to say what used to happen in the past
- to say what was happening at a particular time in the past
- to give a description in the past.

Now read these sentences and for each one say what the imperfect tense is being used for:

1 Trabajaba como monitor.
2 El pueblo estaba en la costa.
3 Jugabamos al ajedrez cuando llamaste.
4 Me llevaba bien con la gente.
5 Ganaba unas tres libras esterlinas por hora.

It is very simple to form the imperfect tense. You remove the **-AR**, **-ER** or **-IR** ending from the infinitive of the the verb and replace it with the new ending. The following table will help you do this.

INFINITIVE		-AR trabajar (to work)	-ER tener (to have)	-IR salir (to go out)
SINGULAR				
I	yo	trabaj**aba**	ten**ía**	sal**ía**
you (informal)	tú	trabaj**abas**	ten**ías**	sal**ías**
he/she/it	él/ella	trabaj**aba**	ten**ía**	sal**ía**
you (formal)	usted	trabaj**aba**	ten**ía**	sal**ía**
PLURAL				
we	nosotros	trabaj**ábamos**	ten**íamos**	sal**íamos**
you (informal)	vosotros	trabaj**ábais**	ten**íais**	sal**íais**
they	ellos/ellas	trabaj**aban**	ten**ían**	sal**ían**
you (formal)	ustedes	trabaj**aban**	ten**ían**	sal**ían**

Only three verbs are irregular in this tense:

INFINITIVE		IR (to go)	SER (to be)	VER (to see)
SINGULAR				
I	yo	**iba**	**era**	**veía**
you (informal)	tú	**ibas**	**eras**	**veías**
he/she/it	él/ella	**iba**	**era**	**veía**
you (formal)	usted	**iba**	**era**	**veía**
PLURAL				
we	nosotros	**íbamos**	**éramos**	**veíamos**
you (informal)	vosotros	**ibais**	**erais**	**veíais**
they	ellos/ellas	**iban**	**eran**	**veían**
you (formal)	ustedes	**iban**	**eran**	**veían**

Now use these rules to choose the correct part of the verb to complete this dialogue:

– ¿Qué tipo de trabajo (hacíamos, hacía, hacían) usted en Madrid?
– Pues, (trabajabas, trabajábais, trabajaba) en las oficinas de un banco.
– ¿Le (pagaban, pagábamos, pagabas) bien?
– ¡Qué va! Sólo (ganabas, ganaban, ganaba) mil pesetas por hora.

¿? p87 Actividad I ¿?

4 The conditional tense

These sentences from Unit 8 all show you how to say what someone would do:

Me gustaría ser recepcionista. **I would like** to be a receptionist.
¿A qué hora **terminaría**? At what time **would I finish**?
Terminarías a las ocho. **You would finish** at eight o'clock.

The verbs which are in bold are all part of the *conditional tense*. For regular verbs this is formed by adding the following endings to the infinitive. The endings are the same for all verbs.

INFINITIVE		-AR terminar (to finish)	-ER volver (to go back)	-IR preferir (to prefer)
SINGULAR				
I	yo	terminar**ía**	volver**ía**	preferir**ía**
you (informal)	tú	terminar**ías**	volver**ías**	preferir**ías**
he/she/it	él/ella	terminar**ía**	volver**ía**	preferir**ía**
you (formal)	usted	terminar**ía**	volver**ía**	preferir**ía**
PLURAL				
we	nosotros	terminar**íamos**	volver**íamos**	preferir**íamos**
you (informal)	vosotros	terminar**íais**	volver**íais**	preferir**íais**
they	ellos/ellas	terminar**ían**	volver**ían**	preferir**ían**
you (formal)	ustedes	terminar**ían**	volver**ían**	preferir**ían**

Verbs which are irregular in the future tense (see p150) are irregular in the same way in the conditional tense.

DECIR (to say) **diría**
HACER (to do) **haría**
PODER (to be able to) **podría**
PONER (to put) **pondría**
QUERER (to want) **querría**
SABER (to know) **sabría**
SALIR (to go out) **saldría**
TENER (to have) **tendría**
VENIR (to come) **vendría**

N.B. The conditional of **HABER** (**hay**) is **habría** (there would be).

Now complete this dialogue with the help of the verbs in brackets:
– ¿Cómo (llegar) a la oficina?
– Bueno, (poder) coger el autobús. Sólo (tardar) unos cinco minutos.
– ¿A qué hora (tener) que empezar por la mañana?
– (Tener) que empezar a las siete y media y (terminar) a las dos de la tarde.

Unidad 9

Un poco de gramática

¡¿ p94 Actividad 3

1 The interrogative pronoun – ¿cuál?

Look at this dialogue from Unit 9 in which someone is asked to make a choice:
– Oye, Adrián, ¿qué te parece este anuncio?
– ¿**Cuál**? ¿Éste?

¿**Cuál**? means 'which (one)?'. It stays the same whether referring to a masculine or feminine noun. Look what happens when referring to more than one thing.

¿**Cuáles** de estas revistas prefieres?

You simply add **-es**. The masculine and feminine plural form is ¿**cuáles**? – 'which (ones)?'

Now complete these sentences using **cuál** or **cuáles**, and answer them.

1 ¿_______ de estas profesiones te interesan? ¿Recepcionista, camarero, monitor, guía?
2 ¿_______ es tu asignatura favorita en el instituto?
3 ¿_______ es tu deporte preferido?
4 ¿_______ de estos idiomas hablas? ¿Francés, inglés, italiano, alemán?

¡¿ p94 Actividad 3

2 Demonstrative pronouns – ése and aquél

ése

In Unit 4 you met the demonstrative pronoun **éste** meaning 'this (one)':

Éste es el señor Gil y **ésta** es su señora. **This** is Mr Gil and **this** is his wife.

Here, **éste** and **ésta** are used because they refer to people or things which are close to the person speaking. Here is a reminder of what happens to the word when you are talking about something which is a little further away:
– Oye, Adrián, ¿qué te parece este anuncio?
– ¿Cuál? ¿Éste?
– No, **ése** para un camarero.

If we remove the letter 't' from the words for 'this (one)' (**éste / ésta**) and 'these (ones)' (**éstos / éstas**) you have the words for 'that (one)' and 'those (ones)', to emphasise that you are talking about something a little further away (see p145). Here they are in full:

	That (one)	**Those (ones)**
Masculine	ése	ésos
Feminine	ésa	ésas

aquél

Now look at this dialogue to see another way of saying 'that (one)'.

– No me interesa nada ese trabajo. Pagan mal.
– Entonces, ¿qué te parece **aquél**?

Here, **aquél** is used to mean 'that one' because the thing referred to is even further away. You have to choose the correct part of **aquél** according to whether the word it refers to is masculine or feminine and singular or plural. This table will help you:

	That (one) *(over there)*	**Those (ones)** *(over there)*
Masculine	aquél	aquéllos
Feminine	aquélla	aquéllas

So in summary, to refer to something which is close by, you use **éste. . .** etc, for something a little further away you use **ése. . .** etc and for something which is 'over there' you use **aquél. . .** etc.

Complete these conversations by using the appropriate word for 'that (one)' or 'those (ones)':

1 – ¿Éstos son los jardines públicos?
– No. Éstos son unos jardines privados. ________ que están enfrente son los jardines públicos, pero ________ que están en el centro son los más bonitos.

2 – ¿Quieres esta revista?
– No, gracias. ________ parece más interesante.

3 – ¿Éstas son las entradas para el cine?
– No. Estas son para el teatro y ________ son para el cine.

4 – ¿Te interesa ese trabajo?
– No mucho. Prefiero ________ .
– Pues, a mí me gusta ________ .

¿? p95 Actividad 1 ¿?

3 The present continuous tense

In this unit you met this sentence. What do the words in bold mean?

Estoy trabajando en un banco.

They show that someone is doing something at the moment. This is called the *present continuous tense* and it works in Spanish in a similar way to English.

– ¿Qué **estás haciendo**? What **are you doing**?
– **Estoy trabajando** como monitor. **I am working** as a holiday rep.
– Mi hermano **está escribiendo** una carta. My brother **is writing a** letter.

The endings **-ando** and **-iendo** are the equivalent of '-ing'. Can you work out when to use **-ando** and when to use **-iendo** from the above examples?

For **-AR** verbs the ending is **-ando**, and for **-ER** and **-IR** verbs it is **-iendo**. These parts of the verb are called the *present participle*.

TRABAJAR (to work) trabaj**ando**
HACER (to do) hac**iendo**
ESCRIBIR (to write) escrib**iendo**

The present continuous is made up of the appropriate part of the *present tense* of **ESTAR** (see p140) followed by the *present participle* of the main verb.

Now answer the following questions with the help of the pictures:

1 ¿Qué estás estudiando?

2 ¿Qué está haciendo Marta?

3 ¿Qué estan haciendo tus amigos?

4 ¿Qué está haciendo el director?

5 ¿Qué tipo de trabajo estás buscando?

p106 Actividad I

1 The present subjunctive

Look at these sentences from Unit 10. What do you notice about the verbs in bold?

¿A qué hora quiere que la señora Blanch le **llame**?
What time do you want Mrs Blanch to phone you?

Le diré a la señora Blanch que le **llame** cuando **vuelva**.
I'll tell Mrs Blanch to phone you when she returns.

You would normally expect the third person singular (**él/ella**) of an **-AR** verb (e.g. **LLAMAR** – to call) to end in **-a** (**llama**), and of an **-ER** verb (e.g. **VOLVER** – to return) to end in **-e** (**vuelve**). In the examples the verb endings appear to have been changed round. This particular part of the verb is called the *present subjunctive* and it is used in certain circumstances.

It is used when you want, or ask, someone else to do something for you:

Quiero que me **llame** a las ocho. **I want her to phone me** at eight o'clock.
Le diré que le **llame**. **I'll tell her to phone** you.

The Spanish is actually saying 'I want that she should phone me.' and 'I'll tell her that she should phone you.'

It is also used after **cuando** when it indicates something which has still not happened:

Le diré que le llame **cuando vuelva**. I'll tell her to call you **when she returns**.

Now look at these sentences showing another way in which you can use the present subjunctive. Can you work out what it is?

Dígale que le ha llamado la señora Llana. **Tell** her that Mrs Llana has called.
Escriba su nombre. **Write** your name.

Here it is used to give an instruction to someone you would normally address as **usted** in Spanish.

You can use this table to choose the correct ending of the verb. With the exception of the 1st person singular (**yo**) part, the endings of **-AR** verbs in the subjunctive are the same as the endings of **-ER** and **-IR** verbs in the present tense, and the endings of **-ER** and **-IR** verbs are the same as the endings of **-AR** verbs in the present tense!

INFINITIVE		**-AR** **llamar (to call)**	**-ER** **volver (to return)**	**-IR** **escribir (to write)**
SINGULAR				
I	yo	llam**e**	vuelv**a**	escrib**a**
you (informal)	tú	llam**es**	vuelv**as**	escrib**as**
he/she/it	él/ella	llam**e**	vuelv**a**	escrib**a**
you (formal)	usted	llam**e**	vuelv**a**	escrib**a**
PLURAL				
we	nosotros	llam**emos**	volv**amos**	escrib**amos**
you (informal)	vosotros	llam**éis**	volv**áis**	escrib**áis**
they	ellos/ellas	llam**en**	vuelv**an**	escrib**an**
you (formal)	ustedes	llam**en**	vuelv**an**	escrib**an**

You have already met some verbs which have an irregular 1st person singular (**yo**) in the normal present tense. You keep this same irregularity when you add the endings for the present subjunctive:

INFINITIVE	**PRESENT TENSE**	**PRESENT SUBJUNCTIVE**
DECIR	digo	diga
HACER	hago	haga
TENER	tengo	tenga
VENIR	vengo	venga

Here are the verbs **IR** (to go) and **SER** (to be) in the present subjunctive:

INFINITIVE		**IR (to go)**	**SER (to be)**
SINGULAR			
I	yo	**vaya**	**sea**
you (informal)	tú	**vayas**	**seas**
he/she/it	él/ella	**vaya**	**sea**
you (formal	usted	**vaya**	**sea**
PLURAL			
we	nosotros	**vayamos**	**seamos**
you (informal)	vosotros	**vayáis**	**seáis**
they	ellos/ellas	**vayan**	**sean**
you (formal)	ustedes	**vayan**	**sean**

Look at these sentences. Identify which ones use the present subjunctive and why.

1 Hotel Miramar ¿dígame?
2 ¿Puedo hablar con la señora Blanch, por favor?
3 ¿Quiere dejarle un recado?
4 Dígale que le ha llamado la señora Llana y que me llame ella, por favor.
5 ¿Quiere dejarme su número de teléfono?
6 Bueno, no importa. Hablaré con ella cuando vaya al hotel esta tarde.

Unidad 11

Un poco de gramática

¿p114 Actividad 1?

1 The comparative

Read these sentences from Unit 11, paying particular attention to the words in bold. What point is the person speaking making in each one?

¿No hay nada **más barato**? Isn't there anything **cheaper**?
Sería **menos caro** ir en tren. It would be **less expensive** to go by train.

Each of these examples is making a comparison. You can also see that it is possible to compare something in two different ways in Spanish.

First of all you can compare one thing to another by putting **más** (more) in front of the adjective – **más barato** = 'cheaper' (literally *more cheap*).

The second example shows how to compare something from the opposite point of view, this time by putting **menos** (less) in front of the adjective – **menos caro** = 'less expensive'.

Now see what happens when you compare a person or a thing directly with another:

El taxi es **más cómodo que** el autocar. The taxi is **more comfortable than** the coach.

This time the two things being compared are connected by using **más** + *adjective* + **que**.

You could also make this comparison from the opposite point of view:

El autocar es **menos cómodo que** el taxi. The coach is **less comfortable than** the taxi.

This time the formula is **menos** + *adjective* + **que**.

Use what you have learned to compare the following things in different ways using the adjectives given. Use a dictionary to help if necessary.

Por ejemplo: **1** Ir en bicicleta es más lento que ir en tren.
El tren es más rápido que la bicicleta.

1 ir en tren / ir en bicicleta (rápido / lento)
2 ir en avión / ir en barco (caro / barato)
3 ir en coche / ir a pie (práctico)
4 ir en taxi / ir en metro (cómodo)

p114 Actividad 1

2 The superlative

Once you know how to say one thing is better than another it is relatively easy to say that something is the best or worst. (Look again at p151 to see one way of doing this).

Here are some examples from Unit 11 of how to say this:

Lo más rápido sería ir en avión. **The quickest** (way) would be to go by plane.
También es **lo más caro**. It's also **the most expensive** (way).

Here the formula is **lo más** + *adjective*.

Now look at another example of how to say that something is the best in its class. In what way is this example different from the previous ones?

Mahón es **el puerto más importante** de Menorca.
Mahon is **the most important port** in Menorca.

This time, we first say in which category Mahón comes top (**el puerto**) and then describe what its best quality is by adding **más** + *adjective*. Notice also that the English word 'in' after a superlative is translated in Spanish by **de** (literally 'of').

Find the answers to the following questions.
Por ejemplo: **1** La montaña más alta de Europa es el Monte Blanco en Francia.

1 ¿Cuál es la montaña más alta de Europa?
2 ¿Cuál es el aeropuerto más alta del mundo?
3 ¿Cuál es la ciudad más grande de Inglaterra?
4 ¿Cuál es el río más largo de Europa?
5 ¿Cuál es la universidad más antigua de Gran Bretaña?

p121 Actividad 4

3 Acabo de – I have just

You learned in Unit 8 how to use the perfect tense to talk about what has happened:

He tenido un trabajo a tiempo parcial. **I have had** a part-time job.

Now look at this sentence, paying particular attention to the words in bold. It is also saying that something has happened, but in what way is it different?

– Hola, mi nombre es García. **Acabo de tener** un problema con el coche. . .
– Hello, my name is García. **I have just had** a problem with the car. . .

Here Sr García is talking about a very recent experience, something which has *just* happened.

To say that something has just happened, or that someone has just done something, you use the appropriate part of the verb **ACABAR DE** followed by the *infinitive* of the verb which says exactly what has happened or has been done.

ACABAR is a regular **-AR** verb. Here is the present tense in full:

INFINITIVE		**ACABAR DE**
SINGULAR		**(to have just)**
I	yo	acabo
you (informal)	tú	acabas
he/she/it	él/ella	acaba
you (formal)	usted	acaba
PLURAL		
we	nosotros	acabamos
you (informal)	vosotros	acabáis
they	ellos/ellas	acaban
you (formal)	ustedes	acaban

The following sentences all tell of something that has happened not too long ago. But can you bring them right up to date using the correct part of **ACABAR DE** followed by the infinitive?

1 He tenido un pinchazo.
2 El motor ha hecho mucho ruido.
3 Hemos tenido un accidente.
4 Un autobús ha saltado el semáforo.
5 He alquilado este coche de su compañía.

p125 Actividad 1

1 Personal pronouns after prepositions

Look at this dialogue from Unit 12, paying particular attention to the words in bold:

– ¿Dónde puedo comprar un pantalón corto?
– ¿Es **para usted**?
– Sí, es **para mí**.

Usted and **mí** are personal pronouns.

Pronouns are words that replace nouns:

Vi **la película** la semana pasada. I saw **the film** last week.
La vi la semana pasada. I saw **it** last week.

Personal pronouns are pronouns that refer to people or persons. You have already met some personal pronouns which you use to show the subject of verbs (**yo**, **tú**, **él/ella**, **usted**, **nosotros**, **vosotros**, **ellos/ellas**, **ustedes**).

Now look at the table of personal pronouns which you use after prepositions – can you see where they differ from the personal pronouns you already know?

You can see that the only ones which change are the first two – **yo** becomes **mí** and **tu** becomes **ti**.

Personal pronouns after prepositions	
mí	nosotros
ti	vosotros
el/ella	ellos/ellas
usted	ustedes

Here are some common prepositions after which you might use a personal pronoun:

a to	**lejos de** far from	**enfrente** opposite
al lado de next to	**delante de** in front of	**con** with
cerca de near to	**detrás de** behind	**sin** without

Now look at these examples. Can you explain what has happened here?

¿Quieres ir al cine **conmigo**? Would you like to go to the cinema **with me**?
El director quiere hablar **contigo**. The headteacher wants to talk **to you**. (literally 'with you').

This time the preposition **con** (with) joins with the pronouns **mí** (me) and **ti** (you) to form two new words, **conmigo** and **contigo**. All the other personal pronouns stay the same after **con**.

Mi hermano no viene **con nosotros**. My brother isn't coming **with us**.
Vamos a hacer la compra **con ellos**. Let's go shopping **with them**.

Use the correct pronoun to complete these conversations. The words in brackets are a pointer to which one is needed.

1 – ¿Esta camiseta es para ________? (you – informal)
– No, es para ________. (her)

2 – ¿Puedo ir a la piscina con ________? (you – informal)
– Claro que puedes ir con ________. (me)

3 – ¿Tu hermano está solo en la playa?
– No. Mi madre está con ________.

p125 Actividad 1

2 Personal pronouns after the infinitive

You have already met one kind of object pronoun (see p148), pronouns which mean 'to me', 'to you', 'to him' etc. These are indirect object pronouns. There is another kind, called *direct object pronouns*. Can you see what this kind of pronoun is used for?

¿Tiene **este bañador** en una talla grande? Do you have **this swimming costume** in a large size?
¿**Lo** tiene en una talla grande? Do you have **it** in a large size?

The direct object pronoun takes the place of the noun, and answers the question 'What?'. You use either **lo**, **la**, **los** or **las** depending on whether the noun you are replacing is masculine or feminine, singular or plural, and its position can change depending on which part of the verb is being used.

Voy a sacar **las entradas**. I am going to buy **the tickets**.
Voy a sacar**las**. I am going to buy **them**.

Now look at this exchange from one of the conversations in this unit:

– ¿Tiene este pantalón corto en una talla mediana? – Do you have this pair of shorts in a medium size?
– ¡Vamos a ver! Pues sí, aquí tiene. – Let's see! Well, yes, here you are.
– ¿Puedo **probármelo**? – Can I **try it on**?

Now you can see what happens when we add a personal pronoun, **me**. They are placed together, with the pronoun **lo**, **la**, **los** or **las** always coming second. Personal pronouns are always attached to the end of the infinitive and when linked with **lo**, **la**, **los** or **las** written as one word. Here is another example:

Me gustan esos bañadores. Voy a **probármelos**.
I like those swimming costumes. I'm going to **try them on**.

¿Dónde están las revistas? Quiero **comprármelas**.
Where are the magazines? I want to **buy them for myself**.

Personal pronouns are attached in the same way to instructions, or commands:

Póngame medio kilo de platanós, por favor.
Give me half a kilo of bananas, please.

They always come *in front of other parts* of the verb, however, and are written as two separate words:

– ¿Tiene el mismo pantalón en azul oscuro? – Do you have the same pair of trousers in dark blue?
– Pues, si. Aquí tiene. – Ah, yes. Here you are.
– **Me lo quedo**, entonces. – **I'll take it**, then.

Now complete the following sentences:

1 Me gusta esta camiseta. ¿Puedo probar ________?
2 Este sombrero es muy bonito. ¿Puedo probar ________?
3 Estas chanclas están bien. ________ quedo.
4 Me gustan estos dos bañadores. ________ quedo.